토마스하디
고딕 소설 작품선

고딕 문학 총서 013

토마스 하디 고딕 소설 작품선
Thomas Hardy

미스터고딕 성진영 옮김

시튼 팔

미신적인 남자 이야기

그리브가의 바바라

아라한

토마스 하디

차례

시든 팔

005

미신적인 남자 이야기

055

그리브가의 바바라

063

이 작품선에 대해

117

시든 팔
The Withered Arm

제1장 소젖 짜는 외로운 여인

젖소 80마리의 낙농장. 정규직과 임시직을 포함, 소젖 짜는 사람들 모두가 한창 일을 하고 있었다. 아직 4월 초순에 불과했지만, 꼴풀은 전부 강가 목초지에 깔려 있었고, 젖소들의 젖이 꽉 차 있었기 때문이다. 저녁 6시 무렵, 직사각 체형의 크고 붉은 젖소 중에서 사분의 삼의 젖 짜기가 끝나서 한담을 나눌 기회가 생겼다.

"내일 신붓감을 데려온대. 오늘 앵글베리까지 왔대."

그 목소리는 체리라는 젖소한테서 나는 것 같았지만 실상 말한 사람은 가만히 있는 그 젖소의 옆구리에 얼굴을 파묻고 있던 젖 짜는 여자였다.

"그 여자 본 사람 있어?" 상대방이 말했다.

먼저 말한 여자한테서 없다는 대답이 나왔다. "들리는 말로는 뺨이 장미처럼 발그레하고 체구는 아담하고 예쁘장하다고는 하더라." 이렇게 덧붙인 그녀는 말을 하는 도중에 고개를 돌려서 젖소의 꼬리 너머로 헛간 맞은편을 슬쩍 볼 수 있었다. 그곳엔 마르고 맥아리 없는 서른 살의 소젖 짜는 여자가 다른 사람들과 조금 동떨어져 있었다.

"남자보다 많이 어린가 봐." 상대방 여자도 같은 방향을 힐끔 쳐다보면서 말했다.

"남자는 몇 살인데?"

"서른 살 정도."

"마흔은 됐을 걸." 가까이에 있던 소젖 짜는 늙은 남자가 끼어들었다. 그는 흰색의 긴 앞치마인지 '래퍼'(몸을 휘감는 가운이나 치마 따위—옮긴이) 같은 것을 입은 데다 모자의 챙을 아래로 당겨 묶어서 언뜻 여자처럼 보였다. "그 사람은 마을의 큰 둑이 만들어지기 전에 태어났어. 그때 난 저 강에서 멱을 감을 때여서 어른 품삯을 받지도 못한 시절이었다고."

그 토론이 어찌나 열기를 띠게 됐던지 젖 줄기 소리가 그쳤다가 갑자기 늘려오기를 반복했다. 이런 상황은 또 다른 젖소의 배 쪽에서 근엄한 호통이 들려올 때까지 계속됐다. "자, 그런데 농부 로지의 나이든 그 사람의 새 신붓감이든 염병 그게 우리한테 무슨 대수야? 난 여기서 젖 짜는 착유공들을 빌릴 때마다 그 사람한테 일인당 나이 상관없이 1년에 9파운드씩

내야 한다고. 일들이나 하셔. 아니면 해 떨어지기 전에 못 끝내. 벌써 땅거미가 지고 있잖아." 이 남자는 소젖 짜는 남녀를 고용한 이 낙농장의 주인이었다.

농부 로지의 결혼에 대해 더는 공공연한 말은 없었지만, 맨처음 입을 열었던 여자가 자신이 맡은 젖소 아래서 옆 사람한테 중얼거렸다. "저 여자한테 견디기 어려운 일이지, 뭐." 그녀는 좀 전에 말한 그 마르고 맥아리 없는 여자를 가리켰다.

"에이, 아냐." 상대방이 말했다. "그 남자가 로다 브룩과 말을 섞지 않은지가 몇 년은 됐는걸, 뭐."

젖 짜기가 끝나자 사람들은 각자의 우유 통을 씻어서 걸이대에 걸었다. 걸 수 있는 잔가지가 많은 이 걸이대는 껍질 벗긴 오크나무로 만들어 땅에 세워둔 것인데, 그 생김새가 마치 거대한 사슴뿔 같았다. 대다수는 여러 방향으로 흩어져서 각자의 집으로 향했다. 침묵을 지켰던 마른 여자는 12살가량의 소년과 만나서 그들 또한 들녘을 따라 길을 갔다.

그들의 길은 다른 사람들의 길과 따로 떨어져서 강가의 목초지 위쪽 고지대로 향해 있었다. 에그돈 히스의 경계에서 그리 멀지 않은 그 고지대의 어두운 모습은 그들이 집에 가까워지는 동안 멀리서도 눈에 띄었다.

"낙농장에서 사람들이 그러는데, 네 아빠가 내일 앵글베리에서 어린 신부를 데려온다는구나." 여자가 말했다. "몇 가지 살 것이 있어서 널 시장에 보내려고 하는데 아마 거기서 아빠와 그 여잘 만날 확률이 크지 싶네."

"알았어요, 엄마." 소년이 말했다. "그러면 아빠가 결혼하는 건가요?"

"응…… 만약에 그 여잘 만나게 되면 한번 잘 살펴보고 어떻게 생겼는지 엄마한테 말해주렴."

"알았어요, 엄마."

"얼굴이 어두운 편인지 흰 편인지, 키가 큰지, 이 엄마만한지. 먹고 살려고 일만 해온 여자처럼 보이는지 아니면 부자로 살아서 일이라고는 한 적이 없는 여자처럼 보이는지. 그렇다면 아마 귀부인 티가 날 테니까 정말 그런지도 보렴."

"네."

그들은 황혼 속에서 언덕을 올라 작은 시골집에 들어갔다. 이 집의 진흙 벽은 표면이 수많은 빗줄기에 골이 파이고 함몰되어서 원래의 평평했던 모습은 보이지 않았다. 초가지붕 여기저기서 살가죽을 뚫고 나온 뼈처럼 서까래가 튀어나와 있었다.

그녀는 굴뚝 구석에 무릎을 꿇고 토탄 두 덩어리와 히스^(황야에서 흔히 볼 수 있는 진달랫과 관목류—옮긴이)가 들어있는 안쪽으로 얼굴을 가져가더니 토탄이 타오를 때까지 빨간 재를 입으로 불었다. 불빛이 그녀의 창백한 뺨을 밝게 물들였고 한때 아름다웠던 눈을 다시 아름답게 만들었다. "그래." 그녀는 말했다. "그 여자 피부가 어두운지 하얀지, 또 네가 할 수 있으면, 그 여자 손이 하얀지 알아보렴. 잘 모르겠다면, 쭉 일을 해온 손 같은지 아니면 이 엄마처럼 소젖 짜는 여자의 손 같은지 보렴."

소년은 또 한 번 그러겠다고 약속했는데, 이번에는 건성이었다. 소년의 어머니는 아들이 주머니칼로 밤나무 의자 등받이에 칼자국을 내고 있는 걸 보지 못했다.

제2장 젊은 아내

앵글베리에서 홈스토크로 가는 길은 대체로 평탄하다. 다만 이 단조로움을 깨는 급경사 오르막이 있는 한 곳이 있다. 예전에 장이 서던 마을에서 집으로 돌아오던 농부들은 내내 속보로 몰아오던 말을 이 짧은 경사지에서는 걸어서 올라가게 한다.

다음 날 저녁, 아직 해가 밝은 가운데 차체는 레몬색 바퀴는 붉은색으로 칠한 근사한 새 이륜마차 한 대가 힘센 암말에 이끌려 평탄한 큰길을 따라 서쪽으로 가고 있었다. 말을 모는 남자는 한창나이의 요먼(yeoman; 봉건사회 해체기에 등장한, 귀족과 농노의 중간 계급에 해당하는 독립자영농민으로서 18세기 후반 이후 사라짐─옮긴이)으로 배우처럼 깨끗하게 면도를 했고, 안색은 푸르스름한 자주색인데 이 빛깔은 종종 시내에서 성공적인 거래를 끝내고 집으로 돌아가는 부농의 특징을 더 도드라지게 만들곤 한다. 이 남자 옆에 앉아있는 여자, 실상 소녀에 가까울 정도로 한참 어려 보였다. 그녀의 얼굴빛도 생기가 가득한 반면 남자의 안색과는 결이 완전히 달라서 장미꽃잎 더미 속 빛깔처럼 부드러우면서도 쉬이 시들어버릴 것만 같았다.

그쪽 길은 간선도로가 아니어서 이용하는 사람이 거의 없었다. 그들 앞에 펼쳐진 길고 흰 리본 같은 자갈길은 굼뜨게 움직이는 작은 점 하나 말고는 텅 비어 있었다. 조금 후에 그 점은 저절로 한 소년의 모습으로 변했는데, 그 소년은 달팽이처럼 느릿느릿 가면서 연신 뒤를 돌아다보았다. 소년이 짊어지고 있는 무거운 봇짐은 자꾸 뒤돌아보는 구실은 아닐지라도 꾸물거리는 구실은 됨직했다. 덜컹거리는 이륜마차가 앞서 말한 그 경사지 아래서 속력을 늦추었을 때, 걸어가던 소년은 고작 몇 미터 앞에 있었다. 한 손을 엉덩이춤에 대고 큼지막한 봇짐을 받쳐 든 소년이 돌아서더니 농부의 아내를 뚫어져라 쳐다보았다. 말의 속도에 맞춰서 마치 그녀의 마음을 읽어내기 위해 꿰뚫어보기라도 하는 것처럼.

　지는 해가 그녀의 얼굴을 환하게 비추어서 작은 콧구멍의 곡선부터 눈의 색깔에 이르기까지 이목구비, 명암, 얼굴선을 또렷하게 보여주었다. 농부는 소년의 집요한 시선에 짜증이 난 것 같았지만 그래도 소년에게 길에서 비키라고 말하진 않았다. 그래서 그들보다 앞선 소년은 그들이 오르막을 다 올라갈 때까지 그녀에게 고정한 시선을 떼지 않았다. 농부는 안도의 표성으로 빠르게 말을 몰아가면서 소년을 알아보는 기색일랑 조금도 드러내지 않았다.

　"저 딱한 아이가 날 쳐다보는 것 좀 봐!" 젊은 아내가 말했다.

　"그래, 여보. 나도 저 녀석이 그러는 거 봤어."

"이 마을에 사는 아이인가 봐요?"

"이웃 중에 하나지. 이삼 킬로미터 떨어진 곳에서 엄마랑 사는 것 같던데."

"아이가 우리를 아는 것 같던데요?"

"아, 그래. 처음엔 사람들한테 딱 저런 시선을 받을 테니까 그리 알고 있어, 거트루드 요 예쁜 마누라야."

"알아요. 다만 저 딱한 아이가 우리를 쳐다본 건 아마 호기심보다는 무거운 짐을 같이 져주었으면 해서지 싶어요."

"에이, 아니야." 여자의 남편이 퉁명스럽게 말했다. "이 마을 아이들은 한 번에 50킬로그램 정도를 등에 지고 다니거든. 게다가 아까 그 아이의 짐은 크기에 비해서 무게는 그 정도로 많이 나가진 않아. 이제 1.5킬로미터쯤 더 가면 멀리서 우리 집이 보일 거야. 거기까지 갔을 때 너무 어둡지만 않다면 말이지."

마차 바퀴가 빙글빙글 돌았고, 그 주변에서 이전처럼 먼지가 일었다. 얼마쯤 갔을까, 뒤쪽의 농가 건물들과 건초더미를 배경으로 흰색의 커다란 집이 저절로 모습을 드러냈다.

한편 발길을 재촉한 아이는 그 흰색 농장건물에서 2.5킬로미터쯤 떨어진 샛길에 모습을 드러내더니 수풀이 듬성듬성해지는 목초지를 향해 올라갔다. 그렇게 아이가 향해간 곳은 어머니의 작은집이었다.

아이의 어머니는 외진 낙농장에서 소젖 짜는 일을 마치고 집에 와 있었다. 그녀는 저무는 햇빛을 받으며 문간에서 양배

추를 씻고 있었다. "그 망을 잠깐 들고 있어." 그녀는 집에 온 아들에게 거두절미하고 말했다.

아이는 짐을 내동댕이치고 양배추 망의 가장자리를 붙잡았다. 아이의 어머니는 망 속에 물이 떨어지는 양배추 잎을 채워 넣으면서 말을 이었다.

"그 여자 봤니?"

"네. 아주 분명하게 봤어요."

"귀부인처럼 생겼던?"

"네. 그 이상이에요. 완벽한 숙녀였어요."

"젊던?"

"글쎄요. 어른이에요. 행동거지가 전상여사인."

"그러겠지. 머리와 얼굴은 무슨 색이던?"

"머리칼은 약간 밝은 색, 얼굴은 살아있는 인형처럼 예뻐요."

"그러면 눈은 이 어미처럼 짙은 색이 아니겠네?"

"네, 푸른색이 돌았어요. 입은 아주 예쁘고 빨간색이고요. 웃으면 하얀 이가 보여요."

"키가 크던?" 여자가 날카롭게 말했다.

"못 봤어요. 앉아있었거는요."

"그러면 내일 아침 홈스토크 교회에 가거라. 그 여자가 분명히 그곳에 올 테니까. 일찍 가서 있다가 그 여자가 들어오는지 보렴. 그리고 집에 와서 이 어미보다 키가 더 큰지 말해주렴."

"잘 알겠어요. 엄마. 그런데 엄마가 직접 가서 그 여자를 보는 건 어때요?"

"나더러 그 여잘 보러 가라고! 만약에 그 여자가 지금 이 순간 이 집 창가를 지나간다면 난 쳐다보지 않을 거야. 그 여자는 당연히 로지 씨와 같이 있었겠지. 그 사람이 무슨 말을 하거나 무슨 행동을 하던?"

"평소와 똑같았어요."

"널 아는 체 하던?"

"아뇨."

다음날 아이의 어머니는 아이에게 깨끗한 셔츠를 입혀서 홈스토크 교회로 보냈다. 아이가 그 낡고 작은 건물에 도착했을 때 교회 문이 막 열리던 차였다. 아이는 제일 먼저 교회에 들어갔다. 성수반 옆에 자리를 잡은 아이는 교회 안으로 들어오는 교구민들을 빠짐없이 지켜보았다. 그 부농 로지가 거의 마지막으로 들어왔다. 그와 동행한 젊은 아내는 교회에 처음 나온 얌전한 여성답게 수줍은 표정으로 복도를 걸어왔다. 다른 사람들의 시선이 전부 그녀에게 달라붙은 터라 이번에는 아이의 시선이 별스러워 보이진 않았다.

아이가 집에 도착했을 때 어머니는 아이가 미처 안으로 들어서기도 전에 말했다.

"어떻든?"

"키가 크지 않아요. 작은 편이에요." 아이가 대답했다.

"아!" 아이의 어머니는 흡족해했다.

"하지만 아주 예뻐요. 아주. 사실은 아름다워요."

그 요먼의 아내가 지닌 젊은 싱그러움이 약간은 냉담한 아이의 성정에도 깊은 인상을 준 것이 분명했다.

"듣고 싶은 건 다 들었구나." 아이의 어머니가 재빨리 말했다. "이제 식탁보를 펼치렴. 네가 잡아 온 토끼가 아주 연하구나. 하지만 누가 널 잡아가지 않게 조심해. 그 여자의 손이 어떤지는 말하지 않네."

"손은 보지 못했어요. 장갑을 벗은 적이 없어서요."

"오늘 아침엔 무슨 옷을 입었던?"

"흰색 챙 없는 모자와 은색 드레스. 신도석을 스칠 때 옷에서 휙 하는 피리 소리가 너무 크게 나서 ㄱ 부인이 창피해하며 얼굴을 엄청 붉혔어요. 그러더니 옷이 닿지 않게 계속 잡아당기고 있었지만 자리에 앉았을 때 그만 가장 큰 소리가 났어요. 로지 씨는 기분이 좋아보였는데, 조끼가 눈에 확 띄었어요. 조끼에 귀족처럼 커다란 금인장을 달았고요. 그런데 여자는 그 소리 나는 옷이 자기 옷이 아니었으면 하는 마음뿐인 것 같더라고요."

"설마! 하지만 당장은 그걸로 충분하구나."

아이는 어쩌다가 그 신혼부부와 마주치는 일이라도 생기면 어머니의 요청에 따라 그들에 대한 묘사를 수시로 계속해갔다. 그러나 로다 브룩은 4킬로미터 정도 걸어가면 직접 그 젊은 로지 부인을 볼 수 있는데도 그 농장 주택이 있는 방향으로는 가려고 들지 않았다. 뿐만 아니라 외곽에 있는 로지의 두 번째 농장에서 날마다 소젖 짜는 일을 하면서도 최근에 있었던 결혼 얘기는 입도 뻥긋하지 않았다. 로지한테서 젖소를 빌린 낙농인은 키다리 여자 로다의 사연을 다 알고 있는데, 남자다운 아량으로 그 소젖 짜는 여자를 괴롭힐만한 낙농장의 가십거리에 대해선 언제나 함구했다. 그러나 인근의 분위기는 로지 부인이 도착한 처음 며칠 동안 그 화제로 넘쳐났다. 그리고 아들의 묘사와 소젖 짜는 다른 동료들의 일상적인 말들을 통해서 로다 브룩은 생면부지인 로지 부인에 대한 정신적인, 그러니까 사진만큼이나 사실적인 이미지를 떠올릴 수 있게 됐다.

제3장 환영

신부가 온 지 이삼 주가 지난 어느 날 밤, 아이가 잠자리에 들었을 때 로다는 끄려고 긁어낸 토탄 재를 한참동안 쳐다보면서 앉아 있었다. 깜부기불 너머 상상 속으로 떠오르는 그 새신부의 모습을 생각하느라 어찌나 정신이 팔려있었던지 시간 가는 줄도 몰랐다. 마침내 하루의 노동에 피곤했던 그녀도 잠자리에 들었다.

그러나 이날 낮에도 또 그 전날들 낮에도 그녀를 강하게 사로잡은 그 모습은 밤이 돼도 사라지지 않았다. 처음으로 거트루드 로지가 자기자리에서 밀려난 이 여자를 꿈속에서 방문했다. 로다 브룩은 꿈에서—잠들기 전에 그녀를 진짜 봤다는 로다의 주장은 신빙성이 없기에—옅은 색의 실크드레스를 입고 흰색 모자를 쓴 그 젊은 여자를 봤는데, 모습은 경악스러울 정도로 비틀려 있었고 늙어서 주름져 있었다. 그녀가 누워있는 로다의 가슴을 깔고 앉아 있었다. 로지 부인이 짓누르는 압박이 점점 더 무거워졌다. 파란 두 눈이 잔인하게 그녀의 얼굴을 응시했다. 곧이어 그 형체는 자신의 왼쪽 손을 조롱하듯이 앞으로 내뻗었고, 이로써 자기가 끼고 있던 결혼반지가 로다의 눈앞에서 반짝이게 만들었다. 미칠 지경인데다 숨이 막혀 죽기 직전이라서 잠든 여자는 몸부림쳤다. 이 몽마(夢魔)는 여전히 로다에게서 시선을 거두지 않은 채 침대 발치로 물러났다. 그러나 다시 앞쪽으로 다가와 자리를 잡더니 방금 전처럼 왼쪽 손을 획 뻗었다.

숨을 헐떡이던 로다는 마지막 있는 힘을 다해서 오른팔을 들어 그 거슬리는 왼쪽 팔을 붙잡았다. 그러고는 획 돌려서 뒤쪽 바닥을 향해 내동댕이쳤고, 그와 동시에 낮은 신음을 토해내면서 벌떡 일어났다.

"아이고, 고마워라!" 그녀는 식은땀을 흘리면서 침대 가장자리에 걸터앉아서 소리쳤다. "꿈이 아니었어. 그 여자가 여기 온 거야!"

그녀는 여전히 손아귀에서 경쟁자의 팔을, 그 살과 뼈를 온전히 느낄 수 있었다. 그녀는 그 유령을 내동댕이친 바닥을 내려다보았지만 그곳엔 아무것도 보이지 않았다.

로다 브룩은 이날 밤 더 잠들지 못하고 이튿날 새벽에 소젖을 짜러 갔고, 동료들은 그녀의 창백하고 초췌한 안색을 알아 챘다. 그녀가 짠 소젖이 떨면서 통 속으로 떨어졌다. 그녀의 손은 그때까지도 떨렸고, 여전히 그 팔의 촉감을 간직하고 있었다. 그녀는 저녁에 돌아온 것처럼 지쳐서 아침에 식사를 하러 집에 들렀다.

"엄마, 간밤에 엄마 방에서 소리가 들렸는데 무슨 일이죠?" 아들이 물었다. "침대에서 떨어졌던 거죠?"

"뭐가 떨어지는 소리가 났던? 몇 시에?"

"시계가 두 시를 쳤던 딱 그때였어요."

그녀는 설명할 수 없어서 식사를 마치자 조용히 집안일을 했다. 아이는 집 밖 농장에 가고 싶지 않아서 어머니를 거들었고, 그녀는 아들의 싫어함을 받아주었다. 11에서 12시 사이에 마당 문이 철커덕 소리를 냈고, 그녀는 시선을 들어 창문을 보았다. 대문 안쪽, 마당 아랫부분에 그녀가 꿈에서 본 그 여자가 서 있었다. 로다는 그 자리에 못 박히듯 서서 꼼짝도 하지 않았다.

"아차, 저 여자가 오겠다고 말했었지!" 아이도 그 여자를 보면서 소리쳤다.

"그런 말을? 언제? 저 여자가 어떻게 우리를 알지?"

"내가 저 여자를 만났을 때 말을 했어요. 어제요."

"내가 그랬지." 아이의 어머니가 화가 나서 얼굴을 붉히며 말했다. "그 집에 사는 누구한테도 절대 말을 걸지 말고 그 집 근처에 얼씬도 하지 말라고."

"저 여자가 먼저 말을 걸었어요. 그리고 그 집 근처에 가지도 않았고요. 길에서 만났어요."

"저 여자한테 뭐라고 했니?"

"아무 말도 하지 않았어요. 저 여자가 그랬어요. '시장에서 무거운 짐을 지고 오던 그 아이로구나?' 그러고는 내 부츠를 쳐다보더니 비가 오면 발이 젖을 거랬어요. 부츠가 갈라졌다면서요. 그래서 내가 엄마랑 살고 있고, 우리가 살기에 형편이 넉넉하다고 말했어요. 그렇게 된 거라고요. 그랬더니 그 여자가 또 이랬어요. '내가 괜찮은 부츠를 너한테 가져다주고 네 엄마를 만나볼 게.' 그 여자는 목초지에서 우리 말고 다른 사람들한테도 물건들을 나눠줬어요."

이쯤에서 로지 부인은 문가로 가까이 와 있었다. 로다가 침실에서 봤던 실크드레스가 아니라 그것보다 더 근사해 보이는 흔하고 가벼운 재질의 드레스와 챙이 넓은 모자 차림이었다. 팔에는 바구니 하나를 걸치고 있었다.

간밤에 겪었던 일의 잔상이 여전히 강했다. 로다는 방문객의 얼굴에서 벌써부터 주름과 경멸, 잔인함을 보는 것 같았다.

그녀는 만남을 회피할 수 있다면 그러고 싶었다. 그러나 그 집에는 뒷문이 없는데다 순식간에 아이는 로지 부인의 부드러운 노크 소리에 빗장을 들어 올리고 있었다.

"아, 제대로 찾아왔네." 그녀는 아이를 흘긋 쳐다보면서 미소를 머금고 말했다. "하지만 네가 문을 열어줄 거란 자신은 없었단다."

생김새와 행동은 영락없이 그 유령이었다. 그러나 목소리는 설명할 수 없을 정도로 감미로웠고, 눈길은 너무도 매력적인 데다 미소는 참 부드러웠다. 자기를 찾아온 심야의 방문자와는 너무 달라서 로다는 자신의 감각을 거의 믿을 수 없는 지경이었다. 간밤처럼 극한 혐오감을 드러내며 어딘가로 숨어버리지 않아서 진심으로 기뻤다. 로지 부인은 바구니에 아이와 약속한 근사한 부츠 한 켤레와 이런저런 유용한 물품들을 넣어왔다.

자기와 아들을 향한 분명한 호의 앞에서 로다의 마음은 자신을 모질게 나무랐다. 이 순수한 젊은 여자는 저주가 아니라 축복을 받아야 마땅했다. 그녀가 떠났을 때 그 집에서 빛 한 줄기가 사라진 것 같았다. 이틀 후에 그녀는 아이한테 부츠가 맞는지 보려고 다시 왔다. 그리고 그 주가 채 지나지 않았을 때 로다를 또 찾아왔다. 이때는 아이가 집에 없었다.

"한참 걸었네요." 로지 부인이 말했다. "댁의 집이 우리 교구 외곽에서 가장 가까이에 있어요. 댁이 건강하기를 바라요. 그런데 썩 건강해 보이지 않네요."

로다는 아주 건강하다고 말했다. 실제로도 둘 중에서 로다가 더 창백한 편이긴 하나, 그녀의 균형 잡힌 몸과 큰 골격에서 나오는 힘이 부드러운 뺨의 젊은 여자보다 더 강했다.

대화는 그들의 힘과 약점에 관한 꽤나 사적인 것이 되었다. 로지 부인이 가려고 할 때 로다가 말했다.

"이곳의 공기가 부인에게 잘 맞았으면 해요. 그리고 강가 목초지의 습기에 너무 힘들어하지 않았으면 하고요."

젊은 여자는 그 부분에 대해서는 크게 의심하지 않고, 전반적인 건강 상태는 대체로 좋다고 대꾸했다.

"그런데 그 말을 듣고 보니 생각나는 게 있네요." 그녀가 덧붙였다. "날 난처하게 만드는 작은 병이 하나 있거든요. 심각한 건 아닌데 처치하기가 곤란해요."

그녀는 왼쪽 손과 팔을 드러냈다. 그 윤곽이 꿈에서 보고 붙잡았던 팔의 정확한 실물로 로다의 시선과 만났다. 팔의 핑크빛 살갗에 마치 거칠게 움켜잡아서 생긴 것처럼 비정상적으로 보이는 희미한 자국들이 있었다. 로다의 시선이 그 변색된 부분에 고정됐다. 그녀는 그 부분에서 사신의 네 손가락 자국을 알아본 기분이 들었다.

"어쩌다가 이렇게 됐죠?" 그녀는 기계적으로 말했다.

"모르겠어요." 로지 부인이 고개를 저으며 대답했다. "어느 날 밤에 곤히 잠들었다가 낯선 곳에 가 있는 꿈을 꾸었어요. 갑자기 팔의 이쪽에 통증이 느껴졌는데, 어찌나 아프던지 잠이 깼을 정도예요. 기억은 나지 않지만 낮에 팔을 부딪쳤었나 봐요." 그녀는 웃으면서 덧붙였다. "남편한테는 마치 그 사람이 벌컥 격분해서 여길 때린 것 같다고 말했어요. 에이, 곧 사라지겠죠, 뭐."

"하, 하! 그러겠죠…… 그런데 언제 그랬죠?"

생각에 잠겼던 로지 부인이 내일이면 딱 2주가 된다고 말했다.

"잠에서 깼을 땐 내가 어디에 있는지도 모르겠더라고요." 그녀가 덧붙였다. "시계가 두시를 치기에 그때 알았죠."

그녀는 로다 브룩이 유령과 만났던 시간을 꼭 짚어서 말했다. 브룩은 죄책감이 들었다. 그녀가 숨김없이 털어놓는 것에 브룩은 화들짝 놀랐다. 브룩은 그 우연의 괴이함에 대해 따져 보지 않았다. 그 섬뜩한 밤의 모든 장면들이 두 배의 생생함으로 그녀의 마음속에 다시 떠올랐다.

"에이, 설마." 방문객이 떠난 후에 로다는 혼잣말로 말했다. "내가 내 뜻에 거스르는 사람들에게 악의적인 힘을 행사한 걸까?" 그녀는 추락한 이후로 자신이 은밀하게 마녀로 불려왔다는 걸 알고 있었다. 그러나 그 특별한 자국이 로지에게 생긴 이유를 전혀 이해하지 못한 채 그냥 무시하고 지나갔다. 이런 일이 설명 가능한 것이고, 전에도 비슷한 일들이 벌어진 적이 있긴 한 걸까?

제4장 암시

여름이 가까워졌고, 로다는 로지 부인에 대해 거의 애정에 가까운 감정을 느끼면서도 그녀를 다시 만날까봐 두려워하는 지경이었다. 로다 자신의 내면에 있는 무엇인가가 그녀에게 유죄를 선고하는 것 같았다. 그럼에도 로다가 낙농장 일이 아닌 다른 목적으로 집을 나설 때마다 숙명은 때때로 로다의 발길을 홈스토크의 외곽으로 이끌었다. 그러다가 그들의 다음 만남이 집밖에서 이루어지게 된 것이다. 로다는 자신을 너무도 당혹스럽게 만드는 그 문제를 모른 척 할 수 없었다. 그래서 처음 몇 마디를 더듬거리다가 이렇게 말했다.

"부인의 팔이 나아졌기를 바라요. 어때요?"

그녀는 거트루드 로지가 왼쪽 팔을 제대로 움직이지 못하는 것을 보고 소스라치게 놀랐다.

"아뇨. 썩 괜찮지가 않네요. 실은 조금도 나아지지 않았어요. 오히려 더 나빠졌어요. 가끔은 지독하게 아파요."

"부인, 의사한테 가 보는 게 좋을 것 같아요."

그녀는 이미 의사의 진료를 받았다고 대꾸했다. 그녀의 남편이 의사한테 가보라고 계속해서 강권했다는 것이다. 그런데 의사는 아픈 팔을 전혀 이해하지 못하는 것 같았다. 그는 팔에 온욕을 해보라고 했고, 그녀는 그 말대로 했지만 차도는 없었다.

"내가 한 번 봐도 될까요?" 소젖 짜는 여자가 말했다.

로지 부인이 소매를 걷어 올리더니 손목에서 몇 센티미터 윗부분을 보여주었다. 그것을 본 순간 로다 브룩은 평정심을 유지할 수 없었다. 상처 같은 것은 없지만 그 부위가 오그라들어 보였다. 뿐만 아니라 처음 봤을 때보다 네 개의 손가락 윤곽이 더욱더 또렷해져 있었다. 게다가 손가락 자국이 그녀가 몽환 속에서 붙잡았던 바로 그곳에 정확하게 찍혀 있다는 생각마저 들었다. 집게손가락은 거트루드의 손목 쪽으로, 약손가락은 그녀의 팔꿈치 쪽으로 향해 있었다.

그 자국이 무엇과 닮았는지, 거트루드 자신도 지난번의 만남 이후 떠오르는 게 있었던 모양이다.

"손가락 자국 같아요." 그녀가 말하고는 피식 웃음을 보탰다. "내 남편은 마녀 아니면 악마가 여길 붙잡고 살갗을 시들게 만들어 놓은 것 같다는 군요."

로다는 몸서리쳤다. "이상한 얘기네요." 그녀는 서둘러 말했다. "나라면 그런 말에 신경 쓰지 않겠어요."

"그리 신경 쓰지 않아야하는데." 로다보다 더 나이어린 상대방이 망설이면서 말했다. "이것 때문에 남편이 날 싫어하게 되지 않을까, 덜 사랑하지 않을까 이런 생각만 들지 않으면 신경 쓰지 않겠어요. 남자들은 외모를 중시하잖아요."

"그런 남자들이 있죠. 그 사람은 그런 남자고요."

"네. 게다가 그이는 처음엔 날 자랑스럽게 여겼어요."

"그 사람 눈에 안 보이게 팔을 가려요."

"에이, 그이는 여기가 흉하다는 걸 이미 아는 걸요!" 그녀는 눈에 차오르는 눈물을 숨기려고 애썼다.

"아무튼, 부인. 속히 괜찮아지길 진심으로 바랄게요."

소젖 짜는 여자의 마음은 집으로 돌아오는 길에 무서운 주문에라도 걸린 것처럼 그 문제에 새로이 옭아매졌다. 앙심어린 행동을 했다는 죄책감이 커져갔고, 자신의 미신을 웃어넘기려다가도 마음에 걸렸다. 로다의 은밀한 마음속에선 자신의 자리를 꿰찬 그 여자의 미모가 어떤 식으로든 약간 하락했다는 걸 반박하지 않았다. 그러나 그녀에게 육체적 고통을 주려던 것은 아니었다. 그 아름답고 젊은 여자로 하여금 로지의 과거 행적에 대한 책임을 대신해 로다에게 조금이라도 보상을 하게 만드는 건 어불성설일지 모르나, 그럼에도 무의식적인 빼앗김에 대한 원한 같은 모든 것이 로다의 마음에서 상당부분 씻겨 나갔다. 그 예쁘고 젊은 여자가 로지의 과거 행동으로 인해 로다가 받아야할 보상을 대신해준다는 건 불가능하긴 해도, 무의식적인 박탈에 대한 분노 같은 모든 감정이 로다의 마음에서 완전히 사라졌기 때문이다.

그 상냥하고 곰살가운 거트루드 로지가 침실에서의 그 일을 알게 된다면 무슨 생각을 할까? 호의를 베푼 그녀에게 그 일을 알리지 않는 건 배신 같았다. 그러나 그녀가 자진해서 말할 수는 없었고, 치료 방법을 생각해낼 수도 없었다.

그녀는 그날 밤 오랫동안 그 문제를 두고 시름에 잠겼다. 다음날 소젖 짜는 오전 일과를 끝내고 섬뜩한 매혹에 사로잡힌 그녀가 거트루드 로지를 또 한 번 슬쩍 볼까 싶어서 그쪽으로 갔을 때였다. 소젖 짜는 여자는 멀리서 그 집을 지켜보다가 말을 탄 그 농부의 아내를 곧 알아볼 수 있었다. 멀리 목초지에 있는 남편을 보러 가는지 혼자였다. 로지 부인이 그녀를 알아보고 천천히 다가왔다.

"안녕하세요, 로다!" 거트루드가 다가와서 말했다. "한번 들르려던 차였어요."

로다는 로지 부인이 감정을 다스리는데 조금 어려워하는 걸 알아챘다

"괜찮아졌길. 그 안 좋은 팔 말이에요." 로다가 말했다.

"사람들이 그러는데 원인을 알아낼 수 있는 방법이 하나 있대요. 어쩌면 치료 방법까지요." 상대방이 초조하게 대꾸했다. "에그돈 히스에 있는 민간치료사를 찾아가 보라네요. 그 사람이 아직 살아있는지는 모르겠대요. 갑자기 그 사람 이름이 생각나지 않네요. 그런데 사람들 말이 이 근방에서 누구보다 그 사람의 행적을 잘 아는 분이 바로 부인이라는 군요. 지금도 그 사람이 진료를 하는지 알려줄 수 있는 분도 부인이고요. 아이 참, 이름이 뭐였더라? 하지만 부인은 알고 있죠."

"마술사 트렌들은 아니겠죠?" 로지의 마른 상대방이 창백해진 안색으로 말했다.

"트렌들. 맞아요. 그 사람 살아 있나요?"

"그럴 걸요." 로다는 주저하면서 말했다.

"그런데 왜 그 사람을 마술사라고 부르죠?"

"아, 마을사람들이 그렇게 불러요. 그 사람이 보통 사람들한테 없는 능력을 가지고 있다고들 그러거든요."

"여기 사람들이 그런 자를 추천할 정도로 미신이 강하다니! 난 의사를 말하는 줄 알았거든요. 그 사람을 찾아가는 건 그만둬야겠어요."

로다는 한시름 놓은 표정이었고, 로지 부인은 말을 타고 가던 길을 갔다. 소젖 짜는 여자는 그 남자를 잘 아는 사람으로 자신이 언급됐다는 얘기를 듣는 순간부터 낙농장 일꾼들 사이에 빈정거림이 존재한다는 걸 알아챘다. 그 퇴마사의 행적을 아는 건 여자마술사가 아니겠냐는.

그렇다면 사람들이 그녀를 의심하고 있는 셈이다. 얼마 전까지만 해도 이런 의심은 상식 있는 여자에겐 별 문제가 아니었을 터다. 그러나 지금은 그녀를 미신적이게 만드는, 떨쳐버릴 수 없는 이유가 있었다. 게다가 그 마술사 트렌들이 거트루드라는 공평한 사람을 망쳐놓고 있는 악의적인 인물로 그녀를 지목할까봐 덜컥 겁이 났다. 그래서 그녀의 친구 거트루드가 그녀를 영원히 증오하면서 인두겁을 쓴 악마로 취급할까봐 겁이 났다.

그러나 다 끝난 것이 아니었다. 이틀 후에 오후의 햇빛이 그림자 하나를 로디 브룩의 집 창문으로 들이밀어서 집안 바닥에 던져놓았다. 로다는 숨죽이고 냉큼 문을 열었다.

"혼자 있어요?" 거트루드가 말했다. 그녀도 브룩 못지않게 난처하고 불안해 보였다.

"네." 로다가 말했다.

"내 팔의 그곳이 더 나빠진 것 같아요. 괴롭네요!" 젊은 농부 아내는 말을 이어갔다. "너무 이상해요! 고칠 수 없는 상처가 아니었으면 좋겠어요. 마술사 트렌들에 대해 사람들이 했던 말을 다시 생각하고 있는 중이에요. 난 그런 사람들을 믿지 않지만 그냥 방문해보는 건 괜찮지 싶네요. 호기심에서요. 다만 무슨 일이 있어도 내 남편이 알아서는 안 돼요. 그 사람 사는 곳이 여기서 먼가요?"

"네. 팔 킬로미터 거리에요." 로다는 마지못해 말했다. "에

그돈 한복판."

"그러면 걸어가야겠네요. 나랑 같이 가면서 길을 안내해 줄수 없나요? 내일 오후?"

"아, 안 돼요." 소젖 짜는 여자는 크게 당황하면서 기어들어가는 소리로 말했다. 또 다시 꿈에서 했던 그녀의 난폭한 행동이 폭로되면 어쩌나, 지금까지 알아온 가장 유익한 친구의 면전에서 자신의 인품이 돌이킬 수 없게 망가지면 어쩌나 하는 두려움이 그녀를 사로잡았다.

로지 부인은 계속 부탁했고, 결국 로다는 불안감이 적지 않았지만 그러겠다고 했다. 그녀에겐 슬픈 여정이겠지만, 자신의 지지자가 겪는 그 이상한 병을 고칠 수 있을지 모르는데 그길을 양심상 방해할 순 없었다. 그들은 불가사의한 의도가 있는 건 아닐까 하는 의혹을 떨쳐내자는데 뜻을 같이 했다. 그들은 황야의 끝머리 그러니까 그들이 지금 서 있는 곳에서 보이는 한 농장의 모퉁이에서 만나기로 했다.

제5장 마술사 트렌들

다음날 오후, 로다는 그 알아보자고 한 일에서 무슨 수를 써서라도 도망치고 싶었다. 그러나 이미 가겠다고 약속한 터다. 게다가 그녀 자신이 의심해온 것보다 오컬트 세계에서 더크게 부각될지 모르는 자신의 기질을 밝혀내기 위하여 스스로 도구가 된다는데 이따금씩 무서운 매혹이 있었다.

그녀는 약속 시간 바로 직전에 출발했고, 30분간의 기운찬 걸음으로 그 전나무 농장이 있는 에그돈의 남동쪽 지역에 도착했다. 망토를 걸치고 베일을 쓴 날씬한 자태가 먼저 와 있었다. 로다는 왼쪽 팔에 팔걸이 붕대를 한 로지 부인을 알아보면서 몸서리를 치다시피 했다.

그들은 서로 거의 말이 없었고, 곧바로 오르막을 올라서 그 엄숙한 지역의 안쪽으로 향해가기 시작했다. 그곳은 그들이 30분전에 떠나온 비옥한 충적토에서 한참 위에 있었다. 걸어서 먼 길이었다. 아직 이른 오후에 불과했지만 무겁게 짓누르는 구름이 대기를 어둡게 만들었다. 게다가 히스 언덕 너머로 바람이 음산하게 불었다. 이곳의 히스는 후세에 리어 왕*으로 소개된 웨식스의 왕 이네의 괴로움을 지켜봤을지도 모르겠다. (*여기서 리어 왕은 셰익스피어의 작품을 의미하는 것으로 보인다. 널리 알려졌듯이 리어 왕이 '레이르' 왕 전설에 바탕을 둔 것인데, 토마스 하디의 작품에서처럼 웨식스의 왕 '이네Ine'와 연결 짓는 자료도 그 수는 적지만 아예 없진 않은 것 같다─옮긴이)

거트루드 로지가 대부분 말을 했고, 로다는 짧게 대답했다. 로다는 친구 옆에서 걷는 게 이상스레 싫었다. 그녀가 무심코 친구의 병든 팔에 가까이 가기라도 하면 그 팔이 저쪽으로 피해가는 것 같았다. 소달구지 길을 따라 내려오는 동안 그들의 발길에 많은 히스들이 스쳐갔다. 그 길옆에 그들이 찾는 남자의 집이 있었다.

그는 대놓고 자신의 치료행위를 공언하지 않았고 사람들의 생존 여부를 돌볼 수 있다고도 하지 않았다. 그의 직접적인 관심사는 바늘금작화, 토탄, '샤프 샌드'(건축 자재 등에 사용되는 가벼운 모래—옮긴이) 등의 지역 산물을 거래하는 것이었다. 실제로도 그는 자신의 능력을 그리 대단하게 생각하지 않았다. 치료해 달라면서 보여준 사마귀 혹들이 감쪽같이 사라져도—진짜 그런 일이 벌어져도—그는 태연히 이렇게 말하는 게 다였다. "허, 혹에 대고 그로그(럼주와 물을 절반씩 섞은 술—옮긴이) 한 잔을 마셨을 뿐인데. 이런 우연이 다 있나." 그러고는 곧 화제를 바꾸기 일쑤였다.

그들이 도착했을 때 그는 집에 있었다. 실은 그들이 계곡으로 내려오는 모습을 지켜보고 있었다. 수염이 희끗희끗했고, 안색은 불그레했다. 그는 첫 대면의 순간 로다를 유별나게 쳐다보았다. 로지 부인이 찾아온 용건을 말했다. 그러자 그는 자기비하의 말을 하고는 그녀의 팔을 살펴보았다.

"약으로는 못 고쳐." 그는 곧바로 말했다. "적이 벌인 짓이야."

로다는 움츠러들어서 뒤로 물러났다.

"적? 어떤 적이죠?" 로지 부인이 물었다.

그는 고개를 저었다.

"그건 당신 자신이 제일 잘 알지. 원한다면 그게 누구인지는 나도 모르지만 당신 앞에 보여줄 수는 있어. 그 이상은 못해. 그러고 싶지도 않고."

그녀는 보여 달라고 간청했다. 그러자 그는 로다에게 그녀가 서 있던 바깥에서 계속 기다리라고 이른 후 로지 부인을 방안으로 데리고 들어갔다. 곧바로 문이 열렸다가 살짝 벌어진 채 닫혀서 로다는 직접 참여하지 않고 그 진행과정을 문틈으로 볼 수 있었다. 그는 찬장에서 잔 하나를 가져오더니 물을 넘칠 듯이 채운 다음 계란 하나를 가져와 어딘지 은밀한 방식으로 뭔가를 준비했다. 계란을 유리잔 모서리에 대고 깨뜨려서 흰자위는 잔속으로 흘러들었고 노른자위는 껍질 속에 남았다. 날이 서서히 어두워지는 가운데, 그는 유리잔을 창가로 들어 올리고는 거트루드에게 자세히 보라고 말했다. 두 사람은 탁자 위로 함께 몸을 기울였고, 소젖 짜는 여자는 계란 흰자위가 물에 가라앉으면서 모양이 변한 젖빛을 볼 수 있었다. 그러나 그게 어떤 형태를 띠고 있는지 볼 수 있을 성도로 가까운 거리는 아니었다.

"얼굴이나 모습 같은 게 보이지?" 마술사가 젊은 여자한테 다그치듯이 말했다.

그녀가 뭐라고 웅얼웅얼 대답했지만 소리가 너무 작아서 로다로선 알아들을 수 없었다. 거트루드는 계속 유리잔을 집중해서 응시했다. 로다는 돌아서서 자리에서 몇 걸음 떨어졌다.

로지 부인이 나왔을 때, 햇빛에 비친 그녀의 얼굴은 지나치세 창백해 보였다. 고지대에서 입는 옷의 우중충한 암갈색 음영과 대비되어 로다의 얼굴만큼이나 창백했다. 트렌들은 문을 닫았고, 두 여자는 집을 향해 출발했다. 로다는 자신의 동료에게 큰 변화가 생긴 것을 알아챘다.

"돈을 많이 달래요?" 그녀는 머뭇거리면서 물었다.

"아뇨, 전혀요. 동전 하나 받으려고 하질 않던 걸요." 거트루드가 말했다.

"그러면 뭘 봤어요?" 로다가 물었다.

"아무 것도, 말을 할 만한 건 아무 것도 못 봤어요." 말투에서 거북한 기색이 표가 났다. 그녀의 얼굴은 예전의 모습처럼 너무 굳어 있었다. 로다의 침실에서 봤던 그 얼굴이 희미하게 떠올랐다.

"당신이 여기 오자고 먼저 말했잖아요?" 한참 후에 로지 부인이 불쑥 물었다. "그런 말을 하다니 너무 이상해요!"

"내가 말한 게 아니에요. 하지만 모든 상황을 따져 봐도 여기 온 게 후회되진 않네요." 그녀는 대꾸했다. 처음으로 승리감이 느껴졌다. 그리고 옆에 있는 그 젊은 것이 자기들의 힘이 아닌 다른 힘에 의해 반감을 사게 된다는 걸 깨우쳐야한대도 그것이 무조건 안타깝진 않았다.

그 문제는 집으로 걸어가는 길고도 황량한 시간 동안 더는 언급되지 않았다. 그러나 그해 겨울 낙농을 하는 많은 저지대에 로지 부인이 로다 브룩에게 '홀리어' 서서히 왼쪽 팔의 기능을 잃어가고 있다는 은밀한 소문이 어찌어찌 퍼져갔다. 로다는 그 몽마에 대해 나름의 분별을 유지했으나, 나날이 얼굴이 슬퍼지고 야위어갔다. 그러다가 봄이 왔을 때 그녀와 아들은 홈스토크 인근에서 종적을 감추었다.

제6장 두 번째 시도

6년이 흘렀고, 로지 부부의 결혼 생활은 권태로워지고 악화되었다. 농부 로지는 대개 침울하고 말이 없었다. 그가 우아함과 미모를 보고 청혼했던 여자는 왼쪽 팔이 뒤틀리고 흉해졌다. 게다가 그녀는 그에게 자식을 안겨주지 않았는데, 이로써 2백 년 동안 그 계곡을 차지해온 한 가문이 그를 마지막으로 대가 끊길 공산이 커졌다. 그는 로다 브룩과 그녀의 아들을 떠올렸다. 그리고 그것이 신이 그에게 내린 심판일지 모른다는 두려움을 느꼈다.

한때 명랑하고 분별 있던 거트루드는 성마르고 미신적인 여자가 되었고, 어디서 찾아낸 온갖 엉터리 치료법을 자신의 병든 팔에 시험하느라 온 시간을 보냈다. 그녀는 남편을 진심으로 사랑했고, 자신의 미모를 최소한이라도 되찾아서 그의 마음을 다시 얻고 싶다는 희망을 남몰래 간직하고 있었다. 그래서 그녀의 벽장엔 많은 병, 꾸러미, 온갖 종류의 연고가 담긴 단지들뿐 아니라 신비한 식물 다발, 부적, 강신술 관련서들이 줄줄이 채워져 있었다. 학창 시절만 해도 그녀는 이런 것들을 멍청한 짓이라고 비웃었었다.

"조만간 이런 약종상 쓰레기와 마술 잡탕으로 당신 자신을 망치고 말거야." 어쩌다가 그 많은 물건들을 보게 된 그녀의 남편이 말했다.

그녀는 아무런 대꾸 없이 슬프고 부드러운 눈길로 그를 쳐다보았는데, 그 눈빛에 마음 가득한 원망이 담겨 있었다. 그래서 그는 자신이 한 말에 미안해하면서 이렇게 덧붙였다.

"거트루드, 알잖아. 당신을 위해서 하는 말이라는 거."

"여길 다 깨끗이 치우고 물건들은 다 없앨게요." 그녀는 목이 멘 소리로 말했다. "이런 방법들을 다신 사용하지 않겠다고요!"

"당신한테 기운 나게 해 줄 사람이 필요해." 그는 말했다. "일전에 한 아이를 입양해보면 어떨까 생각해봤어. 하지만 지금은 나이를 많이 먹었어. 게다가 어딘지 모를 곳으로 가버렸고."

그녀는 남편이 넌지시 말하는 아이가 누구인지 짐작할 수 있었다. 몇 년이 지나는 동안 로다 브룩의 사연을 그녀도 알게 됐기 때문이다. 그러나 그녀와 남편 사이에서 그런 얘기가 일언반구 오간 적이 없었다. 그녀는 남편에게 마술사 트렌들을 찾아갔던 얘기를 한 적이 없었고, 그 혼자인 황무지 남자가 그녀에게 무엇을 보여주었는지 아니 보여준 것 같았는지에 대해서도 말한 적이 없었다.

그녀는 이제 스물다섯이었다. 그러나 더 늙어보였다.

"결혼 생활 육년에서 사랑했던 시간은 단 몇 달뿐." 그녀는 이따금씩 혼잣말을 하곤 했다. 그럴 때면 그 표면적인 이유를 알 것 같아서 비통한 눈으로 자신의 시들어가는 팔을 보고 말했다. "그이와 처음 만났을 때의 내 모습으로 돌아갈 수만 있다면!"

그녀는 고분고분하게 묘약과 부적들을 없애버렸다. 그러나 다른 방법 그러니까 한 번에 치료할 수 있는 다른 방법을 시도해보고 싶다는 열망이 남았다. 그녀는 로다와 함께 트렌들의 집에 내키지 않은 걸음을 한 이후로 그 은자를 다시 찾아간 적이 없었다. 그런데 지금 거트루드는 불현 듯 떠올렸다. 이 저주 같은 것에서 벗어나기 위해 마지막 지푸라기라도 잡는 심정으로 그 사람을 다시 한 번 찾아가보자, 그가 아직 살아있다면 그렇게 해보자. 그는 믿을만한 사람이었다. 그가 불분명한 형태로 유리잔에 떠오르게 한 사람은 분명히 세상에서 딱 하나뿐인 여자를 닮았는데—거트루드가 그때는 몰랐지만 지금은 알 것 같은 그 여자는—그녀에게 악감을 가질 만 했기 때문이다. 그를 꼭 찾아가 봐야했다.

이번엔 혼자 갔다. 황무지에서 거의 길을 잃을 뻔 했고, 잘못 든 길로 멀리까지 헤매기도 했다. 그래도 결국에는 트렌들의 집에 도착했다. 그는 집에 있지 않았다. 그녀는 그 작은 집에서 기다리는 대신에 그의 굽은 몸이 일을 하고 있음을 알려주는 먼 곳까지 갔다. 그녀를 알아본 트렌들은 모으고 있던 바늘금작화 한 아름을 그 무더기 속에 던져 넣더니 그녀의 집 방향으로 함께 걷자고 제안했다. 거리가 꽤 멀었고 낮은 짧았다. 그렇게 그들은 함께 걸었다. 그는 머리가 땅에 닿을 듯 허리를 굽히고 걸었는데, 안색이 흙빛이었다.

"어르신이 사마귀 같은 이상한 혹들을 없앨 수 있다는 거 알아요. 그런데 왜 이건 없애지 못하죠?" 그 팔이 맨살을 드러냈다.

"당신은 내 힘을 너무 과대평가하는구려!" 트렌들이 말했다. "게다가 지금 난 늙고 쇠약해졌어. 아니. 아니야. 내가 직접 시도하기엔 무리야. 어떤 방법들을 써봤지?"

그녀는 가끔씩 사용해온 수많은 약제와 주문 무효화 방법의 일부를 열거했다. 그는 고개를 저었다.

"개중에는 괜찮은 것들도 있긴 해." 그는 인정하듯이 말했다. "그러나 상당수는 맞지 않아. 그건 흉터가 아니라 그림자 같은 거야. 그 그림자를 털어내고 싶으면 한 번에 해야지."

"할 수만 있다면요!"

"내가 아는 한 그럴 수 있는 기회는 딱 한번이야. 그런 병을 치료하는데 실패한 적이 없지. 그건 내가 장담해. 하지만 실천하기가 어려워. 특히 여자한테는."

"알려주세요!" 그녀가 말했다.

"그 팔을 교수형당한 남자의 목에 가져다대야 해."

그가 불러일으킨 그 이미지를 떠올렸다가 그녀는 조금 놀랐다.

"몸이 차가워지기 전에. 목맨 밧줄이 잘린 그 직후에." 마술사는 무감정하게 계속해서 말했다.

"얼마나 효과가 있죠?"

"피를 돌게 하고 체질을 바꾸지. 하지만 말했듯이 행동으로 옮기기가 힘들어. 감옥에 가 있다가 그자를 교수대에서 옮길 때까지 기다려야 해. 많이들 그리했지. 물론 당신 같은 예쁜 여자는 많지 않았겠지만. 피부병에 걸린 사람 여럿을 보냈었지. 하지만 그건 옛날 얘기야. 마지막 사람이 아마 13년도니까, 거의 이십년 전이군."

그는 더는 말하지 않았다. 집으로 갈 수 있는 직선 길까지 데려다 주더니 그녀를 혼자 남겨두고 발길을 돌렸는데, 처음처럼 돈은 일절 받으려고 하지 않았다.

제7장 말을 타고 가다

그 대화는 거트루드의 마음 속 깊이 내려앉았다. 그녀의 성격은 소심한 편이었다. 어쩌면 그 백인 마술사가 제시할 수 있는 치료법을 통틀어서 그녀로선 받아들이기에 커다란 장애물들이 있는 건 물론이고 가장 혐오스러운 방법 같았다.

행정중심지인 캐스터브리지(Casterbridge: 토마스 하디의 소설에 등장하는 가상공간—옮긴이)까지는 20킬로미터가 넘었다. 당시에는 말 도둑, 방화, 빈집털이 따위로도 사형선고를 받고 순회재판이 있으면 열에 아홉은 교수형이 집행되긴 했지만, 그래도 그녀가 아무 도움 없이 사형수의 시신에 접근할 수 있을 것 같진 않았다. 게다가 남편이 화를 낼까 두려워서 남편뿐 아니라 그의 주변 어느 누구에게도 트렌들의 제안에 대해 말을 꺼내놓기가 망설여졌다.

그녀는 몇 달 동안 아무 것도 하지 않은 채 예전처럼 팔의 손상을 참을성 있게 견뎌냈다. 그러나 되찾은 미모를 수단으로 사랑을 되찾고 싶은 그녀의 여성적인 본성은 (그녀는 고작 스물다섯이었다.) 어차피 손해될 것도 없는 방법이니 한번 시도해 보라며 줄기차게 그녀를 부추겼다. "주술로 온 것은 주술로 사라질 것이 확실해." 그녀는 이렇게 되뇌곤 했다. 그 행동을 상상해볼 때마다 정말 그럴 수 있으면 어쩌나 두려워서 움츠러들었다. 그리고 마술사의 말이 떠올랐다. "그리하면 피를 돌게 하고." 그 말은 섬뜩한 설명만큼이나 과학적으로 여겨졌다. 억눌렀던 욕망이 돌아와서 그녀를 다시금 죄어쳤다.

이 당시에는 지역 신문이 딱 하나였는데, 그마저도 그녀의 남편이 어쩌다 한번 씩 빌려오는 정도였다. 그러나 옛 시절에는 옛 방식이 있기 마련이라 뉴스는 장터에서 장터로, 품평회에서 품평회로 사람들의 입을 통해 널리 전해졌다. 그렇다보니 사형집행 같은 중요한 일을 앞두고 30킬로미터 반경에서 곧 있을 그 볼거리에 대해 모르는 사람은 거의 없었다. 그리고 홈스토크의 경우에는 일부 열광자들이 오로지 그 처형을 구경하기 위해서 당일치기로 캐스터브리지까지 걸어갔다가 돌아온다고 했다. 다음 순회재판은 3월에 있었다. 순회재판이 열린다는 소식을 접한 거트루드는 최대한 빨리 기회를 잡을 수 있을 것인지 은밀히 여인숙에 재판 결과를 물었다.

그러나 한발 늦었다. 형 집행이 곧 있을 예정이라서 그 짧은 시간에 그곳까지 가고 허가까지 구하려면 적어도 남편의 도움을 받아야했다. 그녀는 남편에게 말할 엄두가 나지 않았다. 시험 삼아서 슬쩍 떠 본 결과, 그곳의 울적한 마을 신앙들을 입 밖에 내면 남편이 불같이 화를 냈기 때문인데, 그 이유의 일부는 그 자신이 그런 미신을 믿어서였다. 그래서 다음 기회를 기다릴 필요가 있었다.

그녀의 결심에 활력을 주는 과거사를 알게 됐는데, 오래 전에 바로 그 마을 홈스토크에서 뇌전증 발작을 일으킨 두 아이가 그 방법으로 효험을 봤다는 것이다. 다만 인근의 목사가 그 방법을 강하게 비난하긴 했지만 말이다. 4월, 5월 6월이 지나갔다. 6월이 끝나갈 무렵에는 거트루드가 누가 좀 제발 죽었으면 하고 간절히 바랐다고 해도 과장은 아니다. 매일 밤 일상적인 기도 대신에 그녀는 무의식적으로 이렇게 빌고 있었다. "오, 주여. 죄진 사람이든 죄짓지 않은 사람이든 어서 목 매달아주소서!"

이번에는 더 일찍 알아보았고, 그 과정도 훨씬 체계적이었다. 게다가 시기상 건초 만들기와 추수 중간의 여름이었고, 이 한가한 시간 동안 그녀의 남편은 집을 떠나 휴가를 보내곤 했다.

순회재판은 7월에 있었고, 그녀는 예전처럼 그 여인숙에 들렀다. 처형은 딱 한 번, 방화범 밖에 없었다.

가장 큰 문제는 캐스터브리지까지 어떻게 가느냐가 아니라 감옥에 접근할 수 있는 허가를 어떻게 얻어내느냐였다. 옛날에는 그런 목적의 접근이 거부된 적이 한 번도 없었지만, 그런 관행은 이제 폐지된 상태였다. 그녀는 있음직한 난관들을 심사숙고하다가 또 다시 남편에게 의지하고픈 충동이 들었다. 그러나 순회재판에 대한 남편의 의중을 떠 보았더니, 속내를 드러내지 않는데다 평소보다도 더 차갑게 대하는 통에 어떡하든 그녀 혼자 해야겠다고 결심했다.

지금까지 그녀에게 냉혹하기만 했던 운명의 여신이 뜻밖의 호의를 보여주었다. 사형집행일인 토요일을 앞둔 목요일, 로지는 품평회에 볼 일이 있어서 이삼일 다녀오겠다고 하면서 그녀를 데려가지 못해 미안하다고 말했다.

이 말을 듣고 그녀가 어찌나 흔쾌히 집에 있겠다는 뜻을 비치던지 그는 놀란 표정으로 그녀를 쳐다보았다. 그녀가 그런 여행의 기회를 놓치게 된 것에 깊은 실망감을 드러냈을 때는 이미 시간이 좀 지난 후였다. 그러나 그는 평소의 과묵한 태도로 돌아갔고 예정한 날짜에 홈스토크를 떠났다.

이제 그녀의 차례였다. 처음에는 마차를 타고 갈까 생각했지만 그럴 경우 쭉 유료도로를 이용해야하는데, 그녀의 섬뜩한 용건이 탄로 날 확률이 열배는 더 높아서 그만두기로 했다. 사람들이 다니는 길을 피해서 말을 타고 가기로 했다. 문제는 그녀를 위해 암말 한 필을 늘 준비해 놓겠다던 남편의 결혼 전 약속에도 불구하고 하필이면 당시의 마구간엔 아무리 좋게 봐도 여자가 타기에 적당한 가축이 없었다는 점이다. 그래도 짐마차를 끄는 말들은 많았고, 그런 종류치고는 괜찮은 말들이었다. 개중에서 아마존이라고 쓸 만한 말이 있는데, 등이 소파만큼이나 넓어서 거트루드가 기분이 울적할 때면 이따금씩 그 말을 타고 바람을 쐬러 나가곤 했었다. 그녀는 그 말을 선택했다.

금요일 오후, 일꾼 한 명이 그 말을 준비해 놓았다. 옷을 차려입은 그녀는 아래층으로 내려가려다가 자신의 오그라든 팔을 쳐다보았다. "아!" 그녀는 팔에 대고 말했다. "너만 아니었다면 이런 지독한 시련은 내게 없었을 거야!"

가져갈 옷 몇 벌을 싸는 동안, 그녀는 기회를 봐서 하인에게 말했다. "이렇게 옷을 싸가는 이유는 방문하기로 한 사람을 만나고 나서 혹시 오늘밤 돌아오지 못할 경우를 대비해서야. 그러니까 내가 열시까지 돌아오지 않더라도 걱정하지 말고 평소처럼 문단속 잘해. 내일까진 돌아올 거야." 그녀는 나중에 남편에게 따로 조용히 말할 생각이었다. 이미 실행에 옮긴 행동은 계획 중인 행동과는 다를 것이었다. 분명히 남편은 그녀를 용서할 터다.

이윽고 거트루드 로지는 두근거리는 가슴을 안고 남편의 농장 주택에서 출발했다. 목적지가 캐스터브리지였지만 그녀는 스티클포드를 지나가는 직선 경로를 택하지 않았다. 그녀가 처음에 선택한 교묘한 경로는 정반대 방향이었다. 그러나 사람들의 시야를 벗어나자마자 왼쪽으로 틀어서 에그돈 방면 도로로 접어들었다. 그리고 그 황무지에 진입한 다음에는 방향을 획 바꾸어서 신싸 가려는 목적지 즉 서쪽으로 향하기 시작했다. 캐스터브리지로 가는 길 중에서 이보다 은밀한 경로를 상상하긴 불가능했다. 그녀는 그쪽으로 가면서 말의 머리를 태양의 약간 오른쪽으로 유지하면서 몰기만 하면 되었다. 이따금씩 바늘금작화를 채집하는 사람 아니면 농장 일꾼 같은 사람들과 우연히 마주칠 공산이 컸고, 그 때문에 방향을 바꿔야할지 모른다는 것도 알고 있었다.

그때가 비교적 최근이긴 하나, 에그돈은 지금에 비해 그 특성 면에서 훨씬 덜 파편화된 상태였다. 그 저지대 비탈을 경작하려는—성공적이든 아니든—그런 시도는 원래의 황무지를 여러 개의 작은 황무지들로 강제로 분할하는 것인데, 당시에는 이런 시도들이 그렇게 광범위하게 진행되진 않았다. 인클로저 법^(공유지의 사유지화 법령—옮긴이)의 효과가 없었다. 예전에 공동 방목권을 누렸던 마을 사람들의 가축을 배제하고, 1년 내내 불을 피우게 했던 토탄 채굴권자들의 수레를 가로막는 지금의 둑과 울타리가 당시에는 아직 세워지지 않았다. 그렇다보니 거트루드의 여정을 어렵게 하는 방해물이라고 해봐야 따가운 바늘금작화 덤불, 히스의 엉킴, 물살이 센 수로, 오르막이었다가 내리막이 되는 천연의 지세 정도였다.

그녀의 말은 발걸음이 무겁고 더디기는 해도 안정적이었다. 또 짐마차를 끄는 동물이긴 해도 한발 한발 순조롭게 나아갔다. 그 말이 없었더라면 그녀는 절반은 죽은 한쪽 팔을 가지고 그 시골 변두리로 말을 타고 가겠다는 모험을 무릅쓸 여자가 아니었다. 그녀가 캐스터브리지로 가는 황무지의 마지막 외진 지점 그러니까 에그돈을 벗어나 경작지 계곡으로 접어들기 직전에 암말을 세우고 숨을 고르게 했을 때는 8시가 가까워서였다.

그녀가 멈춰선 곳은 두 울타리의 끝자락과 접해있는 골풀

연못이라는 곳이었다. 한복판을 지나는 난간 하나가 연못을 둘로 갈라놓았다. 그녀는 그 난간 너머로 저지대의 녹색 마을을 쳐다보았다. 녹음 진 나무 우듬지 너머로 보이는 마을의 지붕들. 그 지붕들 너머로 보이는 흰색 건물의 납작한 정면, 그곳이 바로 캐스터브리지 교도소로 향하는 입구였다. 정면의 점들 같은 지붕 위에서 움직이는 것들이 있었다. 뭔가를 세우고 있는 일꾼들 같았다. 그녀는 소름이 돋았다. 그녀는 천천히 내려갔고, 이내 옥수수 밭과 목초지 한복판으로 들어섰다. 30분을 더 가서 거의 해질녘에야 그쪽 방향에서 맨 처음 나오는 여인숙 화이트 하트에 도착했다.

여인숙에 들어서는 그녀를 보고 그리 놀라는 사람은 없었다. 그때는 지금보다 농부의 아내들이 말을 타고 다니는 일이 흔했다. 물론 로지 부인을 누군가의 아내로 여긴 사람은 없었지만 말이다. 여인숙주인은 그녀를 보고 다음날의 "교수형 쇼"를 구경하러 온 무모한 아가씨로 생각했다. 그녀의 남편도 그녀도 캐스터브리지 시장에서 거래를 한 적이 없는 터라 그곳에서 그녀를 아는 사람은 없었다. 그녀가 말에서 내리면서 보아하니, 여인숙 바로 위쪽 마구 상점의 문간에 아이들이 늘어서서 아주 흥미롭게 상점 안을 들여다보고 있었다.

"저기에 무슨 일이 있는 거죠?" 그녀는 말구종에게 물었다.

"내일 쓸 밧줄을 꼬고 있어요."

그녀는 응답을 하듯이 몸을 떨었고 팔을 오그라뜨렸다.

"나중에 몇 센티미터씩 잘라서 판대요." 말구종이 계속 말했다. "아가씨, 내가 공짜로 조금 얻어다 줄 수 있는데요. 어때요?"

그녀는 전혀 원하지 않는다고 급하게 거절했다. 그 비참한 사형수의 운명이 자신의 그것과 얽히는 이상하고 섬뜩한 느낌이 들었다. 이어서 하룻밤 묵을 방을 잡은 뒤 앉아서 생각에 잠겼다.

그때까지 그녀는 감옥에 어떻게 접근할 것인지 그저 막연하게만 생각하고 있었다. 주술사의 말이 다시 떠올랐다. 그는 그녀의 아름다움이 손상되긴 했지만 그래도 그 미모를 이용해서 통행권을 얻으라고 암시했었다. 그녀는 살아오면서 교도소 관리들에 대해서는 아는 것이 거의 없었다. 주(州)장관과 장관 대리에 대해서 들어보긴 했다. 그러나 그마저도 어렴풋했다. 그러나 교수형집행인이 있어야한다는 건 알고 있었기에 그 사람에게 시도해보기로 결심했다.

제8장 물가의 은자

그 당시에 또 그 후로 몇 년 동안 거의 모든 교도소에 교수형집행인이 있었다. 거트루드는 사람들에게 물어서 캐스터브리지 교수형집행인이 교소도 건물이 세워진 절벽 아래 깊고 느린 강물이 흐르는 물가의 외딴 집에서 살고 있다는 걸 알아냈다. 그녀는 모르고 있었지만, 그 물길은 하류 쪽의 스티클포드와 홈스토크의 목초지에 물을 공급하는 바로 그 강줄기였다.

거트루드는 요기를 하기 전에 옷부터 갈아입었다. 구체적으로 알아보기 전에는 마음을 놓을 수 없어서였다. 그녀는 물가의 길을 따라 사람들이 알려준 그 집을 향해 갔다. 교도소의 외곽을 지나는 동안, 관문 너머 지붕면에 하늘을 배경으로 3개의 직각 줄들이 그어져 있는 것이 보였다. 멀리서 움직이는 점들이 보였던 바로 그 지점이었다. 그녀는 무엇이 세워졌는지 깨닫고는 빠르게 지나갔다. 몇 백 미터를 더 갔을 때 한 아이가 가리키는 교수형집행인의 집에 다다랐다. 같은 강줄기 가까이에 있던 그 집은 둑 옆에 튼튼하게 지어진 것이었다. 둑에 부딪친 강물이 한결같이 떠들썩한 소리를 질렀다.

그녀가 문을 열까말까 망설이며 서 있는 동안, 한 늙은 남자가 한손으로 촛불을 가리고 나타났다. 밖에서 문을 잠근 그는 집 가장자리에 만들어놓은 나무 계단 쪽으로 돌아섰다. 그러고는 계단을 오르기 시작했는데, 그의 침실로 올라가는 계단이 분명해 보였다. 다급히 앞으로 간 거트루드가 계단 밑에 닿았을 때 그는 이미 꼭대기까지 올라가 있었다. 그녀는 둑의 시끄러운 물소리보다 더 큰 소리로 그를 불렀다. 그가 내려다보면서 말했다.

"어긴 무슨 일이죠?"

"잠깐 댁한테 할 말이 있어서요."

애원하면서 위로 향해진 창백한 얼굴을 향해 촛불이 비추었다. 데이비스(교수형집행인의 이름)는 계단을 도로 내려왔다.

"자려던 참인데. 일찍 자야 일찍 일어나니까요. 하지만 당신 같은 여자와 잠깐은 괜찮지. 집안으로 들어오쇼"

다시 문을 연 그가 그녀를 앞장서서 안으로 들어갔다.

정원사 일을 하는 그의 연장들이 한쪽 구석에 세워져 있었다. 그녀가 시골에서 왔다고 생각했는지 그는 이렇게 말했다.

"나더러 마을 일을 해주길 원한다면, 난 갈 수 없어요. 쉬운 일이든 간단한 일이든 난 한 번도 캐스터브리지를 떠난 적이 없으니까요. 내 진짜 직업은 법 집행관이오." 그는 정중하게 덧붙였다.

"네, 그래요! 바로 그거예요. 내일!"

"아! 그럴 줄 알았소. 그런데 그게 어쨌다는 거요? 밧줄 토막 때문에 온 거라면 소용없어요. 사람들이 계속해서 찾아오거든요. 그래도 귀 아래 놔둔 밧줄 한토막이 다른 것만큼이나 은혜롭다고 말해주긴 하죠. 그 딱한 사람이 친인척이오, 아니면 혹시 (그녀의 옷차림을 보면서) 당신이 부리던 사람이오?"

"아니에요. 교수형 시간이 몇 시죠?"

"평소처럼 12시. 아니면 런던 우편마차가 도착하는 대로 즉시. 형 집행 정지 명령이 떨어질 수 있어서 늘 우편마차를 기다리거든요."

"아, 형 집행 정지라니. 설마요!" 그녀는 자기도 모르게 말했다.

"흠, 히! 히! 일적인 면에선 내 마음도 그렇소! 그렇긴 해도 형을 면제해줄 가치가 있는 젊은 친구를 들라면, 바로 그 친구일 거요. 이제 겨우 열여덟인데다 볏짚 가리에 불이 붙었을 때 우연히 그 현장에 있었던 거요. 그렇긴 해도 형이 면제될 위험은 별로 없어요. 그 친구를 본보기로 삼아야하니까 말이오. 최근 들어 방화 때문에 재산을 잃는 경우가 너무 많으니까요."

"내 말은." 그녀가 설명했다. "병을 고쳐줄 부적 삼아서 그 사람을 만지고 싶다는 거예요. 그 효험을 증명한 남자한테서 들은 조언이에요."

"아, 그거였구나! 이제 알겠네. 예전에 그런 사람들이 온 적 있소. 그런데 당신은 피돌기가 필요한 사람처럼 보이지 않아서 그 생각은 못했구려. 문제가 뭐요? 그런 불법을 저질렀다간 난 잡혀 들어갈 텐데."

"내 팔 때문에." 그녀는 주저하면서 시든 살을 보여주었다.

"어이쿠, 이거 원!" 교수형집행인은 그 팔을 살펴보면서 말했다.

"그래요." 그녀는 말했다.

"허허." 그는 관심을 가지고 말했다. "문제라는 걸 인정할 수밖에 없네! 생긴 모양이 마음에 드네요. 내가 지금까지 본, 치료하기에 딱 좋은 위치와 모양이오만. 당신을 보낸 사람이 누구인지는 몰라도 긴짜 현자로군요."

"나를 위해서 필요한 일들을 주선해 줄 수 있을까요?" 그녀는 숨죽이고 말했다.

"당신이 교도소장을 만나봐야 해요. 주술사도 같이 가서 당신의 이름과 주소를 말해야 하오. 내 기억이 맞는다면 예전에 그런 식으로 했거든. 그런데 어쩌면 내가 적은 수고비를 받고 어떻게든 처리할 수 있지 않을까 싶소만."

"아, 잘 됐네요! 그렇게 해주면 좋겠어요. 내가 비밀리에 하고 싶어서요."

"애인 모르게 말이오?"

"아뇨. 남편 모르게."

"아! 좋소. 내가 시체를 만지게 해주리다."

"그게 지금 어딨죠?" 그녀가 몸서리를 치면서 말했다.

"그게? 그 사람을 말하나 보군요. 그 사람은 아직 살아있어요. 저 위 어둠 속 작은 창문 바로 안에 있소." 그는 절벽의 감옥을 가리켰다.

그녀는 남편과 친구들을 떠올렸다. "아, 당연히 그렇겠죠. 내가 어떻게 하면 될까요?"

그는 그녀를 문가로 데려갔다. "벽에 나 있는 쪽문에서 기다려요. 벽과 쪽문은 골목길에서 찾을 수 있을 테니까, 한시 전에는 와서 기다리시오. 난 시체를 내려놓기 전까진 식사를 하러 집에 올 수 없으니까 미리 안에서 쪽문을 열어놓겠소. 잘 가시오. 시간 꼭 지켜요. 그리고 누가 당신 얼굴을 알아보길 원하는 게 아니면 베일을 쓰고 와요. 아, 나도 한때 당신 같은 딸아이가 있었소!"

그 집에서 나온 그녀는 다음날 그 쪽문을 찾아낼 수 있을 거라고 마음을 추스르면서 길을 올라갔다. 쪽문의 윤곽이 곧 눈에 띄었다. 교도소 외벽에 나 있는 비좁은 출입구였다. 길의 경사가 너무 가팔라서 쪽문에 닿았을 때 잠시 멈춰서 가쁜 숨을 골라야했다. 물가의 그 집을 뒤돌아보니, 교수형집행인이 다시 바깥 계단을 오르고 있었다. 그는 계단으로 연결된 다락인지 침실인지 모를 곳으로 들어갔고 얼마 지나지 않아서 불빛이 꺼졌다.

캐스터브리지 시계탑이 10시를 쳤고, 그녀는 화이트 하트 여인숙으로 돌아갔다.

제9장 우연한 만남

토요일 오후 1시였다. 위에서 밀한 방식으로 교도소로 들어갈 수 있게 된 거트루드 로지는 두 번째 관문 안쪽 대기실에 앉아 있었다. 돌을 다듬어 만든 아치길 아래 비교적 현대적인 활자로 새겨 넣은 명판이 있었다. "카운티 교도소. 1793." 그녀가 하루전날 히스가 무성한 황야에서 보았던 그 건물의 정면이었다. 가까이에 있는 통로 하나가 교수대가 세워진 지붕으로 향하고 있었다.

마을엔 인파로 가득했고 장날은 미뤄졌다. 그러나 거트루드에게는 사람의 그림자가 하나도 보이지 않았다. 약속 시간까지 여인숙 방에 틀어박혀 있다가 구경꾼이 모여드는 절벽 아래 광장을 멀리 피해서 그 대기실까지 왔던 것이다. 그런데이제 군중의 왁자지껄한 소리를 들을 수 있었다. 군중의 소리는 때때로 "최후 진술과 고해!"라는 누군가의 목 쉰 외침보다

높아졌다. 형 집행정지는 없었고 사형집행은 끝이 났다. 그러나 군중은 여전히 흩어지지 않고 시신이 내려지기를 기다렸다.

이윽고 이 끈질긴 여자는 위에서 나는 쿵 소리를 들었다. 이어서 손 하나가 그녀에게 손짓을 했고, 손길이 가리키는 방향을 따라 대기실 밖으로 나왔다. 그리고 문지기실 뒤쪽의 자갈 깔린 안마당을 가로질렀는데, 무릎이 어찌나 덜덜거리던지 걷는 것조차 힘들었다. 소매에서 빠져나온 팔 하나가 숄에 감겨 있었다.

그녀가 도착한 곳에 두 개의 가대가 있었다. 그 용도가 뭘까 미처 생각해보기도 전에 뒤쪽 어딘가의 계단을 내려오는 무거운 발소리가 들려왔다. 그녀는 고개를 돌리고 싶지도 않았고 그럴 수도 없었다. 그 자세로 뻣뻣하게 굳어 있었다. 네 명의 남자가 옮기는 거친 관 하나가 그녀의 어깨를 스쳐갔다. 관은 열려 있었고, 그 안에 거친 작업복 상의와 퍼스티언 천 바지를 입은 젊은 남자의 시신이 들어가 있었다. 시신을 서둘러 관에 넣는 바람에 작업복 상의 자락이 밖으로 삐져나와 있었다. 그 관은 두 개의 임시 가대 위에 놓였다.

이쯤에서 이 젊은 여자는 눈앞에 잿빛 안개가 떠다니고 있는 것 같았다. 이런 상태에다 쓰고 있는 베일 때문에 제대로 분간할 수 있는 것이 없었다. 마치 방금 전에 그녀의 숨이 끊어졌지만 전기요법으로 사망이 지연되고 있는 상태와 흡사했다.

"지금!"

한 목소리가 가까이서 들려왔다. 그것이 그녀에게 한 말이라는 정도만 간신히 알아챌 수 있었다.

그녀는 마지막 힘을 짜내 앞으로 나아갔고, 동시에 그녀의 등 뒤로 가까워지는 사람들 소리가 들려왔다. 그녀는 그 저주받은 팔의 맨살을 드러냈다. 시신의 얼굴에서 천을 걷어낸 데이비스가 거트루드의 손을 잡아서 죽은 남자의 목에, 거기 빙둘러져 있는 설익은 블랙베리 색깔의 삭흔에 가져다 댔다.

거트루드는 비명을 질렀다. "피가 돌 거야." 마술사의 예언이 실현됐다. 그런데 그 순간 두 번째 비명이 경내의 허공을 찢었다. 그것은 거트루드의 비명이 아니었다. 그 비명을 들은 거트루드는 화들짝 뒤돌아보았다.

그녀의 바로 뒤에 얼굴을 일그러뜨리고 눈은 울어서 빨갛게 충혈된 로다 브룩이 서 있었다. 로다의 뒤에는 거트루드의 남편이 서 있었다. 인상을 쓰고 눈빛은 흐렸지만 눈물을 흘리진 않았다.

"설마! 당신 여기서 뭐하고 있는 거야?" 그가 쉰 목소리로 말했다.

"이 막돼먹은 여편네가 이젠 우리와 아이까지 갈라놓는 거냐!" 로다가 소리쳤다. "사탄이 꿈에서 보여준 의미가 바로 이거였어! 결국 너는 그 여자랑 닮은 거야!" 그러고는 자기보다 어린 상대 여자의 맨팔을 움켜잡더니 저항하지 않는 그녀를 벽으로 끌고 갔다. 로다가 붙잡은 팔을 놓자마자 가냘픈 젊은 여자는 자기 남편의 발치에 쓰러졌다. 남편이 그녀를 일으켜

세우려고 했을 때 그녀는 정신을 잃은 상태였다.

둘의 생김새만 봐도 사형된 남자가 로다의 아들임을 짐작하고 남았다. 당시에는 유족들이 원한다면 장례를 치러 주기 위해 처형당한 죄수의 시신을 넘겨달라고 요구할 수 있었다. 이런 목적으로 로지는 로다와 함께 결정을 기다리고 있었던 것이다. 그 청년이 범죄에 연루된 이후 그는 로다의 호출을 받았다. 그 후로도 여러 차례 호출을 받았던 그는 재판 과정을 지켜보았다. 이것이 그가 최근에 보냈던 '휴가'였다. 이 비통한 부모는 신분이 노출되는 것을 꺼렸다. 그래서 시신을 가지러 직접 그곳에 와서 시신을 운반할 짐마차와 수의, 덮개를 준비하고 밖에서 기다리고 있었던 것이다.

거트루드의 상태는 너무 심각해서 가까운 의사에게 가는 것이 바람직해 보였다. 그녀는 교도소에서 마을로 옮겨졌다. 그러나 살아서 집에 가진 못했다. 어쩌면 마비된 팔 때문에 서서히 무너져왔을 그녀의 미약한 생명력은 지난 24시간 동안 그녀 스스로 감당해야했던 심신의 극한 긴장감에 이은 이중 충격에 그만 꺾이고 말았다. 그녀의 피가 실제로 돌긴 '돌았다.' 다만 너무 과했다. 그녀는 사흘 후에 그 마을에서 죽었다.

그녀의 남편은 캐스터브리지에서 두 번 다시 사람들의 눈에 띄지 않았다. 번질나게 드나들던 앵글베리의 옛 시장에 딱 한 번 나타난 것을 제외하고 어디서도 공개적으로 모습을 드러낸 적이 거의 없었다. 처음엔 우울과 회한의 무게에 짓눌려 있다가 마침내 더 좋은 사람으로 변했고, 온순하고 사려 깊은 남자처럼 보였다. 그는 불쌍한 젊은 아내의 장례를 치른 직후부터 홈스토크와 그 인근의 농장들을 양도하고 모든 가축을 팔아넘기는 절차에 착수했다. 그러고는 그 캐스터브리지 카운티의 반대편 끝에 있는 포트브레디로 옮겼다. 그곳에서 홀로 하숙 생활을 하다가 고통 없이 쇠약해진 두 해의 말년을 보낸 후에 숨을 거두었다. 그의 사망 후에 알려진 것은 적잖은 재산 전부를 소년원에 기부하되 로다 브룩에게 소액의 연금을 지급한다는 조건을 달았다는 점이다. 물론 로다 브룩의 행적이 알려져서 그녀가 그 권리를 주장할 수 있는 경우에 한해서라는 단서가 붙었다.

한동안 그녀는 눈에 띄지 않았다. 그러나 결국에는 자신의 옛 동네에 다시 모습을 나타냈다. 다만 그녀에게 주기로 약정된 그 어떤 것도 받지 않겠다고 단호히 거절했다. 그녀는 낙 농장에서 소젖 짜는 단조로운 일을 다시 시작했다. 허리가 구부러지고 한때 풍성했던 짙은 머리칼이 하얗게 새서 듬성듬성해져—아마도 오랫동안 젖소에 이마를 대고 있어서일지 모르나—이마가 훤해질 때까지 오랫동안 그 일을 해나갔다. 이따금씩 그녀의 사연을 아는 사람들이 멈춰 서서 그녀를 지켜보았다. 이쪽저쪽 젖줄기의 리듬에 맞춰 그 냉담하고 주름진 이마 속에서 어떤 음울한 생각들이 울리고 있을까 궁금해 하면서.

미신적인 남자 이야기
이야기
The Superstitious Man's Story

"윌리엄의 죽음에 뭔가 진짜 이상한 점이 있어. 진짜 이상해!" 유개 운반차의 뒷좌석에서 침울한 남자가 한숨을 쉬었다. 지금까지 줄곧 말이 없었던 씨앗 장수의 아버지였다.

"뭐가 이상하다는 거지?" 랙런드 씨가 물었다.

"알잖아, 윌리엄이 말이 없고 유별난 사람이었다는 거. 집안에 있든, 눈에 보이지 않는 뒤쪽 어딘가에 있든, 윌리엄이 가까이 오면 금방 느껴졌잖아. 바로 옆에서 지하실 문이 열려져 있는 것처럼, 공기 중에 냉습한 기운이 끼쳤으니까. 아무튼, 일요일인가, 당시만 해도 윌리엄이 아주 건강해 보였을 때인데, 갑자기 교회 종이 아주 무거워졌다는 거야. 교회지기가 말하길, 몇 년 동안 만져온 종이 그렇게 무겁게 느껴지기는 처음이라, 연결 고리에 기름을 쳐야겠다고 생각했대. 그 일요일에 말이야.

그 다음 주의 어느 날, 윌리엄의 아내는 다림질을 마무리하느라 밤늦게까지 일을 했나봐. 하드컴 부부의 세탁물을 맡았거든. 저녁을 먹은 남편이 평소처럼 잠자리에 든 지 두 시간 정도 지났을 때였어. 다림질을 하고 있는데, 남편이 아래층으로 내려오는 인기척이 나더래. 남편은 늘 하던 대로 계단 밑에 놔둔 장화를 신더니, 그녀가 다림질을 하던 거실을 지나 문가로 갔다는군. 계단에서 집 밖으로 나가려면 그게 유일한 통로였어. 부부 사이에 한 마디 말도 오가지 않았어. 윌리엄은 원래 말수가 적었고, 아내는 일에 열중하고 있었으니까. 그는 밖으로 나간 뒤, 문을 닫았어. 기분이 좋지 않거나 담배 생각에 잠이 오지 않을 때면, 남편이 밤에도 종종 밖에 나가곤 해서, 아내는 대수롭지 않게 생각하고 다림질을 계속 했지. 일을 끝낸 뒤에도 남편이 들어오지 않자, 그녀는 남편을 기다릴 겸, 다리미 따위를 치우고, 아침 식사를 준비했지. 남편이 여전히 돌아오지 않았으나, 피곤에 지친 아내는 남편이 그리 멀리가지는 않았으려니 하고 먼저 잘 생각이었어. 그녀는 2층으로 올라가기 전에 문짝에다 분필로 '문단속 꼭 할 것'이라고 써놓았지.(남편이 평소에 선망증이 심했거든.)

그런데 층계참에 평소와 다름없이 놓여 있는 장화를 보고, 아내는 소스라치게 놀랐지. 2층 침실로 올라가보니, 남편이 침대에서 세상모르게 잠들어 있었어. 눈에 띄지 않고 인기척도 없이 남편이 집안에 들어와 있었으니, 그녀로서는 이상할 수

밖에. 그녀가 다림질에 열중해 있는 동안, 아주 조용히 등 뒤로 지나가지 않았다면 모를까. 그러나 그것도 그럴듯하지 않았어. 그렇게 작은 집안에서 남편이 지나가는 걸 보지 못할 리 없었으니까. 도무지 이해가 되지 않았고, 아주 이상하고 꺼림칙한 느낌까지 들었어. 하지만 남편을 깨워 물어보는 대신, 그녀는 그냥 잠자리에 들었어.

남편은 다음날 아침 일찍, 아내가 깨기도 전에 일을 하러나 갔어. 간밤의 일이 궁금했던 아내가 초조하게 남편이 아침을 먹으러 오기를 기다리는 동안, 환한 아침에도 그 일을 생각할수록 훨씬 더 섬뜩한 느낌이 들었지. 남편이 식사를 하러 와서는 아내가 미처 묻기 전에 먼저 말을 꺼냈어. '문에다 분필로 써 놓은 말, 무슨 뜻이야?'

그래서 아내는 간밤에 밖에 나가지 않았느냐고 물었지. 윌리엄은 침실에서 나간 적이 없으며, 옷을 벗고서 침대에 눕자마자 곯아떨어졌다고 말했어. 한 번도 깨지 않고 잠이 들었다가 아침 다섯 시에 일어나서 일을 하러 갔다고 말이지.

베티 프리벳은 속으로, 자기가 살아있는 것만큼이나 분명히 남편이 밖에 나간 건 틀림없다고 확신했고, 그가 돌아오지 않았다는 확신은 조금 덜했다지. 그러나 그 문제로 남편과 언쟁을 벌이기에는 너무 혼란스러웠던 탓에 그냥 자신이 착각했다고 넘겨버렸지. 그날 오후, 그녀는 롱퍼들 가(街)에서 짐 위들의 딸 낸시를 만나게 되었어. 그녀가 낸시에게 말했지.

'아니, 낸시, 졸려 보이는구나!'

'예, 프리벳 부인.' 낸시가 말했어. '아무한테도 얘기하지 않았지만, 부인께는 그 이유를 말씀드릴게요. 어젯밤, 그러니까 세례자 요한 축일 전야(6월 23일)에 저희 몇몇이 새벽 한시가 가까울 때까지 집에 가지 않고 교회 앞에 있었거든요.'

'그랬니?' 프리벳 부인이 말했어. '어제가 세례자 요한 축일 전야였어? 난 세례자 요한 축일이니 미가엘 축일이 언제인지도 모르고 지낸단다. 할 일이 많다보니 그만.'

'그러시군요. 그런데 저희가 무척 무서운 광경을 봤거든요.'

'뭘 봤는데?'

(혹시 기억할지 모르지만, 세례자 요한 축일 밤에는 마을에서 일 년 안에 죽게 될 사람들의 희미한 그림자가 교회로 들어가는 모습이 보인다는 말이 있어. 병을 이겨낼 사람들은 잠시 후에 교회에서 다시 나오는 반면, 죽을 운명의 사람들은 그렇지 않다지.)

'뭘 봤는데?' 윌리엄의 부인이 또 물었지.

'아니에요.' 낸시가 주저했지. '우리가 무엇을 보고 누굴 봤는지 말하지 않는 게 좋겠어요.'

'우리 집 아저씨를 봤구나.' 베티 프리벳이 조용히 말했어.

'흠, 그렇게 밀씀하시니까,' 낸시가 꾸물거리며 말했어. '아저씨를 본 것 같아요. 하지만 어둡고 무서웠어요. 그러니까, 아저씨가 아닐 수도 있어요.'

'우릴 생각해서 말을 안 하나본데, 그냥 털어놓아도 괜찮단다. 아마, 아저씨가 교회 밖으로 다시 나오지 않았나보구나.

나도 너만큼 잘 알고 있단다.'

낸시는 그 말에 가타부타 대꾸를 하지 않았고, 더는 입을 열지 않았어. 그로부터 사흘 뒤, 윌리엄 프리벳은 존 칠리스와 함께 하드컴 씨의 목장에서 풀을 베게 되었지. 무더운 날씨에 두 사람은 나무 그늘에서 점심을 먹고 포도주를 한 잔씩 비웠지. 그리고 두 사람 모두 앉은 채 잠이 들었고, 먼저 깨어난 쪽은 존 칠리스였어. 그가 윌리엄을 보았을 때, 우리가 방앗간 주인의 커다란 흰색 영혼이라고 부르는 방앗간나방 한마리가 잠든 윌리엄의 입에서 나와서 곧장 날아갔어. 윌리엄이 어렸을 때부터 방앗간에서 일해 온 것을 아는 존 칠리스로서는 무척 기묘한 일이었어. 해를 보니, 낮잠을 너무 오래 잤다는 것을 알고는 칠리스가 일해야 할 시간이라며 윌리엄을 깨웠어. 윌리엄이 아무 반응이 없자, 존이 그를 잡아 흔들었는데, 그는 죽어 있었어.

그날 같은 시각, 필립 후크혼 노인이 롱퍼들 샘에서 물을 긷고 있었어. 그가 돌아섰을 때, 누군가 샘 맞은편에서 내려오고 있기에 쳐다보니, 파리하게 늙어 보이는 윌리엄이었지. 몇 년 전 그맘때쯤, 윌리엄의 어린 외아들이 그 샘에서 놀다가 빠져죽은 뒤로, 윌리엄은 언제나 샘 근처에는 얼씬도 안 했고, 1킬로미터 정도 떨어진 반경으로 피해 다녔기에, 필립 후크혼은 적잖이 놀랐지. 알아보니, 윌리엄의 몸은 3킬로미터쯤 떨어진 목장에 있었기 때문에 그가 샘가에 서 있는 건 불가능했어. 뿐만 아니라, 윌리엄이 샘가에서 발견된 시간이 바로 그가 숨을 거둔 시간이었다지."

* * *

"꽤 우울한 얘기군요." 새로 이사 온 사람이 한동안의 침묵을 깨고 말했다.

"그래요, 그래. 하기야, 궂은일도 있고 좋은 일도 있는 게 인생사지요." 씨앗 장수의 아버지가 말했다.

그리브가의
바바라
Barbara of the House of Grebe

그녀를 가지겠다는 업랜드타워스 경의 결심을 고취시킨 것은 열정이라기보다 관념 같았다. 그가 언제 그런 결심을 했는지 아니면 그녀의 노골적인 반감에도 불구하고 성공을 확신한 이유는 무엇인지에 대해 아는 사람은 없었다. 내가 곧 언급하게 될, 그녀의 인생에서 첫 번째 중요한 행동이 있고 난 후가 아닐까 싶다. 대체로 충동이 계산을 지배하는 열아홉 살, 그 나이답지 않은 그의 성숙하고 냉소적인 끈기는 주목할 만한 것이었다. 그리고 그의 이런 성정은 상당부분 집안 내력뿐 아니라 어린 시절에 물려받은 백작의 지위와 지역의 존경에 기인하는 것 같다. 말하자면 그 승격은 그를 사춘기를 거치지 않고 성숙한 성년으로 획 잡아당긴 셈이다. 4대 백작인 아버지가 바스^(영국 남서부 서머싯 주의 온천—옮긴이) 온천에서 사망했을 당시 그의 나이는 고작 12살이었다.

그렇긴 해도 집안 내력이 상당한 관련이 있다. 결단력은 가문의 문장이 그려진 방패에 유전된 것이다. 때로는 선한 것을 위한 결단력이요 때로는 악한 것을 위한 결단력이었다.

두 집안의 저택은 서로 15킬로미터 가량 떨어져 있는데, 두 저택을 잇는 길은 지금은 낡았지만 당시에는 새로 낸 유료도로로 헤이븐풀과 워본을 멜체스터 시와 연결하고 있었다. 그레이트 웨스턴 하이웨이에서 갈려나온 지선도로 하나는 아마도 오랜 세월 동안 그랬던 것처럼 지금까지도 영국에서 찾아볼 수 있는 머캐덤^(포장할 때 자갈을 깔아놓고 다져서 만든 길—옮긴이) 유료도로의 가장 훌륭한 본보기 중 하나가 아닐까 싶다.

이웃한 바바라의 부친 저택뿐 아니라 백작의 저택도 이 도로에서 1.5킬로미터쯤 떨어져서 각각 일반적인 진입로와 문지기집으로 연결되어 있었다. 지난 세기가 끝나기 20년 전 크리스마스 시즌의 어느 저녁, 젊은 백작이 이 특별한 도로를 따라 마차를 몰아간 까닭은 바바라와 그녀의 양친인 존 경과 그리브 부인의 보금자리인 쉔 장원에서 열리는 무도회에 참석하기 위함이었다. 존 경은 영국 내전^(1642~1651)이 발발하기 수 년 전에 봉직된 작위였다. 존 경의 영지는 업랜드타워스 경의 것보다도 더 넓었는데, 쉔 장원을 포함하여 해안 가까이 콕던 분필지(分筆地)의 절반에 걸쳐 있는 또 다른 영지, 몇 개의 다른 교구에 있는 워본과 그 인접 땅처럼 잘 구획되고 관리된 토지로 이루어져 있었다. 당시에 바바라는 열일곱 살이 채 되지 않았고, 그 무도회는 우리에게 전해진 바로는 업랜드타워스 경이 그녀와의 다정한 관계를 도모한 첫 번째 사례다. 이것이 꽤 이른 시기였는지 아닌지 그 판단은 신에게 맡길 일이다.

드렌크하드 가에 속한 절친한 친구가 그날 그와 식사를 함께 했다고 한다. 그런데 업랜드타워스 경은 놀랍게도 그 친구에게 마음속의 비밀 계획을 말해주었다.

"너는 그 여자를 갖지 못해. 갖지 못한다니까!" 그 친구는 헤어지면서 말했다. "그 여자는 사랑이 아닌 너의 작위에 끌리진 않아. 게다가 좋은 배우자 같은 건, 에이, 아예 생각도 안 한다니까."

"두고 보면 알겠지." 업랜드타워스 경이 냉담하게 말했다.

그 도로를 따라 사륜경마차를 타고 가는 동안 그는 당연히 친구의 예상을 떠올렸다. 그러나 그의 오른쪽으로 사위어가는 햇빛에 비친 옆얼굴의 조각 같은 차분함은 백작의 평정심이 흔들리지 않는다는 걸 그 친구에게 보여주고도 남았을 터다. 그는 론턴 여인숙의 한적한 길가에 닿았다. 그곳은 인근 숲에서 활동하는 많은 수의 대담한 밀렵꾼들이 집결하는 장소였다. 그래서 그는 혹시 곤란을 겪게 되지 않을까, 여인숙 앞에 세워져 있는 이상한 사륜역마차 한 대를 유심히 살펴보았다. 그는 지체 없이 사륜역마차를 지나갔고, 30분 후에는 워본이라는 작은 마을을 통과하고 있었다. 계속해서 1.5킬로미터 가량을 더 가자 주최자들의 저택이 나타났다.

그곳은 당시에 백작 자신의 저택만큼 규칙적이진 않았지만 규모만큼은 대등할 정도로 위풍당당한 건물 아니 건물들의 집합체였다. 아주 고색창연한 한쪽 별관엔 커다란 굴뚝들이 딸려 있었고 하부 구조들이 탑처럼 외벽에서 튀어나와 있었다. 이곳의 거대한 주방에선 (전해지는 말에 따르면) 곤트의 존^(에드워드 3세의 아들이자 헨리 4세의 아버지—옮긴이)을 위한 아침식사가 준비되었다고 한다. 아직 앞마당에 있는 동안 백작은 당시 무도회에서 애용되던 프렌치 호른과 클라리넷 같은 악기들의 소리를 들을 수 있었다.

그리브 부인의 미뉴에트로 무도회가 시작된—전통에 따라 7시에 개최된—기다란 응접실로 들어선 백작은 삭위에 걸맞은 환대를 받으며 바바라를 찾아서 두리번거렸다. 그녀는 춤을 추고 있지 않았다. 어딘지 딴 생각을 하거나 아니면 그를 기다리고 있는 것 같았다. 착하고 아름다운 바바라는 어느 누구에 대해서도 험담을 한 적이 없고, 자기 외에 아름다운 여자들을 추호도 미워한 적이 없는 아가씨였다. 그녀는 이어지는 컨트리댄스에서 그의 청을 거절하지 않고 곧바로 파트너가 되었다.

저녁은 깊어갔고, 호른과 클라리넷 소리가 흥겨웠다. 바바라는 자신의 구혼자를 향해서 확실한 호감도 반감도 내비치지 않았다. 나이든 사람들의 눈에는 그녀가 뭔가를 깊이 생각하고 있다는 것이 보였다. 그런데 저녁 식사가 끝난 뒤, 그녀는 두통을 호소하더니 모습을 감추었다. 업랜드타워스 경은 그녀가 없는 시간을 때울 요량으로 그 기다란 응접실 옆의 작은 방으로 들어갔다. 이곳엔 나이든 사람 몇몇이 난롯가에 앉아 있었다. 춤 자체에 냉랭한 반감을 지닌 그였기에 창문의 커튼을 걷고 어느새 동굴 속처럼 어두워진 사냥터와 숲을 내다보았다. 아직 이른 시간인데도 손님 일부가 떠나는 것인지, 두 개의 불빛이 문에서 멀어지더니 멀리 어둠 속으로 사라졌다.

안주인이 여성들의 파트너를 찾아서 그 방으로 머리를 들이밀자 업랜드타워스 경이 방밖으로 나왔다. 그리브 부인은 그에게 바바라가 무도회장으로 돌아오지 않았다고, 부득이하게 잠자리에 들었다고 말했다.

"무도회 때문에 하루 종일 너무 흥분해 있었거든요." 그녀의 어머니가 말을 이었다. "그래서 일찍 지쳐버렸나 봐요. 그렇다고 업랜드타워스 경이 일찍 떠나진 않겠죠?"

그는 벌써 12시가 가까워졌고, 일부는 이미 떠났다고 말했다.

"단언하는데 아직 아무도 떠나지 않았어요." 그리브 부인이 말했다.

그녀의 기분을 맞춰주기 위해서 그는 자정까지 머물렀다가 출발했다. 그의 구혼은 진척이 없었다. 그러나 인근에 사는 사람들이 거의 다 참석한 무도회에서 바바라가 다른 남자에게 호감을 보이진 않았다는 확신이 섰다.

"시간문제일 뿐이야." 이 침착한 젊은 철학자는 말했다.

그는 다음날 아침 10시 가까이까지 누워 있었다. 그가 계단

머리에 발을 막 옮겼을 때 바깥에서 자갈을 밟는 말발굽 소리가 들려왔다. 금세 문이 열리더니 존 그리브 경이 현관으로 들어섰고, 그때 계단을 다 내려온 업랜드타워스와 마주쳤다.

"경, 바바라는 어디 있소? 내 딸 어디 있냔 말이오?"

업랜드타워스 백작조차도 놀라움을 금할 수 없었다. "존 경, 대체 무슨 일입니까?"

그 소식은 실로 놀라웠다. 준남작의 혼란스러운 설명을 들은 업랜드타워스 경이 나름 추측한 결과, 그 자신과 다른 손님들이 떠난 뒤에 존 경과 그리브 부인은 따로 바바라를 더 만나지 않고 곧바로 잠자리에 들었다. 바바라가 하녀를 통해서 다시 무도회에 참석할 수 없을 것 같다는 말을 전해왔기 때문에 부부는 그녀가 잠들었다고 생각했다. 그전에 이미 그녀는 하녀에게 그날 밤 자신이 맡은 몫을 할 수 없을 것 같다는 말을 했었다. 그런데 이 젊은 숙녀가 아예 잠자리에 든 적이 없음이 분명해 보였다. 즉 침대에 누웠던 흔적이 없었기 때문이다. 정황상 이 기만적인 아가씨는 몸이 안 좋다는 구실로 무도회장에서 나갔고, 그로부터 10분 안에 그러니까 저녁 식사 후의 첫 번째 무도회가 열리는 동안 저택을 떠난 것 같았다.

"따님이 가는 걸 봤습니다." 업랜드타워스 경이 말했다.

"경이 봤다니 이럴 수가!" 존 경이 말했다.

"그렇습니다." 그는 멀어져가던 마차의 불빛에 대해 말했고, 다른 손님이 아니라 그리브 양이 떠나는 것이라고 확신한 이

유도 설명했다.

"그랬던 거로군!" 그리브 양의 아버지가 말했다. "하지만 혼자 갔을 리 없소. 경도 알잖소!"

"아……. 그 청년은 누구죠?"

"짐작만 할뿐이오. 내가 가장 두려워하는 것은 내 짐작이 맞을 것 같다는 거요. 더는 말 못하겠소. 처음엔, 믿고 싶지 않았지만, 경이 바로 그 난봉꾼이라고 생각했었소. 차라리 그랬다면! 하지만 다른 사람이야. 다른 사람. 기필코! 갚아주고 말겠소. 놈들을 쫓아가겠소!"

"누구라고 생각합니까?"

존 경은 이름을 말하려고 하지 않았고, 불안하기보다는 어리석어보였다. 업랜드타워스 경은 쉔 장원으로 돌아가는 그와 동행했다. 그는 준남작이 의심하는 사람이 누구인지 다시 물었다. 감정적인 존 경이 업랜드타워스의 집요함을 당해낼 재간은 없었다.

그는 마침내 말했다. "에드먼드 윌로우스 같소."

"그게 누구입니까?"

"쇼츠포드 포럼(실제로는 도싯 카운티에서 마켓타운 즉 장이 서는 '블랜포드 포럼'을 이름—옮긴이)에 사는 청년인데 어느 과부의 아들이오." 존 경은 이어서 윌로우스의 아버지 또는 할아버지가 그 지역에서 마지막 유리 채색화가였다고 설명했다. 그 지역에선 알다시피 영국의 모든 지역에서 이미 사장된 그 예술 분야가 아직 명맥을 유지하고 있었다.

"이럴 수가……. 그건 정말, 정말이지 안 좋네요!" 업랜드타워스가 싸늘한 절망 속에서 마차 좌석 깊숙이 등을 기댔다.

그들은 사방으로 밀사들을 보냈다. 멜체스터 인근에 한 명, 쇼츠포드 포럼에 한 명, 해안 쪽에 한 명 등등.

그러나 그 연인들은 10시간 앞서 있었다. 그리고 도주 시간을 특정한 밤 그러니까 차량들이 크게 붐벼서 영지나 인근 도로 어느 쪽에서도 낯선 마차가 크게 이목을 끌지 않는 때로 정한 것은 적절한 판단처럼 보였다. 론턴 여인숙에서 대기하고 있던 그 마차가 그들이 탈출에 이용한 수단이라는 건 의심의 여지가 없었다. 쌍쌍이 머리를 맞대고 이렇게나 영리한 계획을 세운 그들은 아마도 결혼을 염두에 둔 모양이다.

그녀의 양친이 두려워한 일이 현실화됐다. 그날 저녁에 특별한 전령이 가져온 바바라의 편지는 그녀와 그녀의 애인은 런던으로 가고 있는데, 그 서한이 양친의 집에 도착하기 전에 이미 그들은 남편과 아내로 맺어져있을 것이라고 알려왔다. 그녀가 이런 극단적인 방법을 택한 이유는 에드먼드를 사랑하고 다른 어떤 남자도 사랑할 수 없기 때문이었다. 또한 그런 방법을 써서라도 코앞에 닥친 운명에서 벗어나지 않는다면 업랜드디워스 경과 결혼해야하는, 옥쇠어드는 상황에 놓이기 때문이었다. 그녀는 사전에 그 방법에 대해 충분히 심사숙고했고, 만약에 아버지가 그녀의 행동을 문제 삼아 의절한다면 그땐 보통 사람의 아내로 살아갈 각오가 되어 있다고 했다.

"젠장!" 업랜드타워스 경은 그날 밤 집으로 돌아오는 길에

혼잣말을 했다. "어리석은 여자 같으니!" 이 말은 그가 그녀를 향해 간직한 사랑의 감정 같은 것을 보여준다.

아무튼 존 경은 의무상 이미 그들을 뒤쫓고 있었다. 야만인처럼 멜체스터를 향해 마차를 몰았고, 거기서부터 이번에는 런던으로 가는 직선도로를 달렸다. 그러나 이내 그는 그래봐야 헛수고라는 걸 깨달았다. 머잖아 그 결혼이 실제로 이루어졌다는 것을 알게 된 그는 런던에서 그들을 찾아내려는 모든 시도를 억누른 채 그냥 집으로 돌아왔고, 아내와 함께 앉아서 그들이 할 수 있는 가장 좋은 방식으로 그 일을 삭였다.

상속녀를 납치한 혐의로 윌로우스를 고발하는 것은 그들의 권세를 감안하면 가능한 일이었다. 그러나 그들은 이제 변경할 수 없는 사실을 고려하고 극단적인 보복을 삼갔다. 6주 가량이 지났고, 그동안 바바라의 양친은 딸자식 잃은 고통을 느끼면서도 꾸지람이든 용서든 집나간 딸과는 어떤 식의 연락도 취하지 않았다. 그들은 딸이 자초한 치욕에 대해 줄곧 생각했다. 비록 그 청년이 정직한 친구라고 한들, 정직한 아버지의 아들이라 한들, 그 아비는 일찍 세상을 떠났고 홀어미는 생계를 위해 모진 고생을 해왔다. 그 아들은 지극히 불완전한 교육을 받았다. 게다가 그들이 아는 한 그의 집안은 무엇 하나 내세울 것이 없었다. 반면에 바바라의 가문은 외가 쪽으로 유서 깊은 남작 혈통 중에서도 최정예로 구성되어 있었는데, 먼데빌, 모훈, 시워드, 피버렐, 컬리포드, 탤벗, 플랜태저넷, 요크, 랭커스터 그밖에도 그냥 넘어가기엔 너무도 아까운 혈통들이 여기에 포함되었다.

아버지와 어머니는 중간부분에 가문의 문장이 새겨진 4심 아치로 연결된 난롯가에 앉아 있었다. 그들은 크게 신음했는데, 부인의 신음소리가 존 경의 그것보다 더 컸다.

"늘그막에 이런 꼴을 겪다니!" 그는 말했다.

"늙은 건 당신이죠!" 그녀는 흐느낌 사이로 쏘아붙였다. "난 겨우 마흔 하나잖아요. 좀 더 빨리 달려서 애들을 따라잡지 그랬어요!"

한편 결혼한 젊은 연인들은 혈통이니 하는 것을 도랑물처럼 하찮게 여긴 채 마냥 행복하기만 했다. 높은 수준부터 내림차순으로 말하자면, 하늘은 지혜 속에서 그런 경솔한 경우를 대비해 정해놓았다. 요컨대 결혼 첫 주에 그들은 더없이 행복한 일곱 번째 천국에 있었고, 둘째 주에는 아주 행복한 여섯 번째 천국, 셋째 주에는 적당히 행복했고, 넷째 주에는 자신들의 언행을 따져보는 성찰적인 행복을 느끼는 식이었다. 서로를 소유한 이후 연인의 마음은 우리 모임의 존경하는 회장님이 우리에게 가끔 예시를 드는 것처럼 지질학적 단계에 따른 토양과 비유할만하다. 처음엔 뜨거운 석탄, 다음엔 따뜻한 석탄 그 다음엔 식어가는 숯 이어서 싸늘한 숯. 비유는 이쯤에서 그만두어야겠다. 요점을 말하자면, 어느 날 딸의 작은 인장으로 봉인된 편지 한통이 존 경과 그리브 부인의 손에 전달됐다. 편지를 열어보니, 존 경을 향해 자신들의 행동을 용서해달라는 젊은 부부의 애원이 담겨 있었다. 무릎을 꿇고 빌 것이고 이후로는 세상에서 가장 공손한 자식이 되겠노라 했다.

이윽고 존 경과 부인은 다시금 4심 아치의 난롯가에 앉아서 상의를 하면서 편지를 또 읽어보았다. 사실대로 말하자면, 존 그리브 경은 자신의 명예와 혈통을 소중히 여기기보다는 딸의 행복을 더 소중히 생각했다. 딸자식의 얍삽한 짓들을 떠올리던 그는 한숨을 쉬었다. 그쯤에는 자식의 결혼에 어느 정도 적응이 된 상황이었고, 엎지른 물을 다시 담을 수는 없는 노릇이니 딸에게 너무 모질게 대하지 말자는 생각이 들었다. 어쩌면 딸자식 내외가 진짜 곤궁한 상태에 있는지 모르잖은가. 부모가 어찌 외동딸을 굶어죽게 놔둔단 말인가?

이 부모에게 예기치 않은 방식으로 약간의 위안이 찾아왔다. 평민 윌로우스의 조상 중 한 명이 어느 몰락한 귀족의 후손과 계급의 차이를 딛고 혼인한 일이 있다는, 믿을만한 정보를 얻게 된 것이다. 간단히 말해서 귀족 부모의 어리석음이 너무 크고 때로는 평민 부모들의 어리석음 또한 그렇거니와, 그들은 바로 그날 바바라에게 편지를 보내 남편과 함께 집에 돌아와도 좋다고 알렸다. 바바라의 남편을 안보겠다는 것이 아니고, 바바라를 나무라지도 않을 것이며 둘 다 반가이 맞아주려고 노력하겠다고 했다. 그리고 딸자식 내외의 앞날을 위해 어떻게 하는 것이 가장 좋을지 함께 의논해보자고도 했다.

삼사일이 지나서 퍽 허름한 역마차 한 대가 쉘 장원의 저택 문 앞에 멈춰 섰다. 마차 소리를 들은 다정한 준남작 내외는 마치 왕자와 왕자비를 맞이하는 것처럼 한걸음에 달려 나왔다.

그들은 버릇없는 자식이 무사히 건강하게 돌아온 것에 뛸 듯이 기뻐했다. 물론 딸자식이 시시한 에드먼드 윌로우스의 아내, 기껏해야 윌로우스 부인이 되긴 했지만 말이다. 바바라는 참회의 눈물을 쏟았고, 수중에 땡전 한 푼 없는 것을 감안하면 그럴 만도 하겠지만 남편과 아내 둘 다 잘못을 깊이 뉘우치고 있었다.

네 사람이 흥분을 가라앉히고 젊은 부부를 꾸짖는 말 한 마디 나오지 않는 가운데 현재 상황을 차분하게 의논했다. 젊은 윌로우스는 그리브 부인이 냉랭하지 않은 말투로 앞으로 나오라고 청할 때까지 보이지 않는 구석 자리에 아주 공손히 앉아 있었다.

'참 잘생겼네!' 그리브 부인은 속으로 생각했다. '바바라가 반할만 해.'

그는 정말이지 여성의 입술에 키스해본 남성 중에서 최고의 미남에 속했다. 파란색 코트, 암홍색 조끼, 우중충한 갈색 바지가 외모를 가리지는 못했다. 지금은 불안해 보이는 크고 짙은 눈이 바바라한테서 그녀의 부모에게 옮겨갔다가 다정히 그녀에게 돌아왔다. 그녀는 떨고 있었지만 심지어 그런 그녀의 모습을 보고도 왜 언랜드타이스의 냉정함이 미적지근함을 넘는 수준까지 동요했는지 알만했다. 그녀의 희고 앳된 얼굴이 (늙은 아낙들에 의해 구전되어온 얘기에 따르면) 흰색 타조 깃털로 장식한 회색 고깔모자 밑으로 드러났다. 작은 발가락들은 암갈색 가운 속에 입은 담황색 페티코트 밖으로 빼꼼 나와 있었다. 균형 잡힌 이목구비는 아니었다. 그 가족의 인물 세밀화에서 보이듯 오히려 아이에 가까웠다. 그녀의 입술은 예민함을 잘 보여주는데, 누가 봐도 절박한 이유가 아니라면 못된 성격 때문에 잘못을 저지르진 않을 거라는 확신이 갔다.

그들은 있는 그대로의 상황을 의논했고, 전적으로 모든 것을 의지하고 있는 사람들로부터 호의를 얻으려는 젊은 부부의 갈망 때문에 그들은 그리 짜증스럽지 않은 임시방편은 무엇이든 동의하고 받아들이려고 했다. 그렇다보니 두 달 가까이 부부의 연을 맺어온 그들은 존 경의 제안 그러니까 에드먼드 윌로우스에게 일 년간 유럽 대륙을 여행할 수 있는 충분한 자금을 제공하고 개인교사 한 명을 붙여주겠다는 제안에 반대하지 않았다. 청년이 내적 외적으로 바바라 같은 귀족여성의 남편이 되기에 필요한 자질을 갈고닦을 때까지 개인교사의 가르침에 따라 부단히 노력하라는 얘기였다. 그는 바바라의 입장에서 부끄럽지 않은 남편의 자리로 돌아올 때까지 언어, 예절, 역사, 사교, 유적 등등 눈에 띄는 모든 것들을 배우고 익히는 데 전념하기로 했다.

"그때가 되면," 덕망 있는 존 경이 말했다. "난 유솔트의 작은 집을 자네와 바바라가 살 수 있도록 준비해 놓겠네. 집이 작고 외딴 곳에 있지만 젊은 부부가 잠시 지내기엔 괜찮을 걸세."

"크기가 정원의 정자만 해도 괜찮을 거예요!" 바바라가 말했다.

"의자처럼 생긴 가마만한 크기라도!" 윌로우스가 말했다. "게다가 외진 곳이면 더 좋습니다."

"외로운 건 견딜 수 있어요." 바바라는 건성으로 말했다. "친구 몇 명은 찾아올 테니까요."

모든 결정이 끝나자, 견문이 넓은 개인교사—다재다능하고 경험이 풍부한 남자—한 명이 부름을 받았다. 어느 화창한 아침, 교사와 학생이 길을 떠났다. 바바라가 젊은 남편과 동행하지 못했던 중요한 이유가 있는데, 매시간 보고 배워야 할 남편의 열의가 그녀에게 신경을 쓰다보면 자연히 방해를 받을 거라는 현명한 통찰이자 반박불가의 이유였다. 정기적으로 편지를 쓰기로 정해졌다. 바바라와 에드먼드는 문 앞에서 마지막 입맞춤을 나누었고, 이륜 유람마차는 아치 밑 통로를 지나 진입로로 들어섰다.

그는 역풍 때문에 일주일 넘게 걸려서 프랑스의 항구 도시 르아브르에 도착하자마자 바바라에게 편지를 썼다. 루앙에서 또 파리에서도 편지를 보냈는데, 구경한 베르사유 궁전의 묘사에 이어 그곳의 놀라운 대리석과 거울에 대한 소감을 전했다. 리옹에서 보낸 다음 편지에 이어서 비교적 오랜 시간이 지난 뒤 토리노에서 편지를 보내왔다. 노새를 타고 몽세니를 건넜던 위험한 모험에 대해 또 그 자신과 개인교사뿐 아니라 가이드들까지 죽다 살아난 무시무시한 눈보라를 어떻게 극복했는지에 대해 얘기했다. 그 다음엔 이탈리아에 대한 열정적인 편지를 보내왔다.

바바라는 다달이 그의 편지에 투영된 남편의 정신이 성숙해져가는 것을 알 수 있었다. 그리고 에드먼드의 교육을 제안했던 아버지의 선견지명에 크게 감탄했다. 그러나 그녀는 때때로 한숨지었다. 남편의 존재는 그를 선택한 그녀의 결정을 더 이상 확실하게 뒷받침하지 않았다. 그리고 신분이 낮은 사람과 결혼했다는 이유로 어떤 곤경들이 그녀를 기다리고 있을런지 소심하게 걱정했다. 그녀는 외출을 거의 하지 않았다. 친구들과 만났을 때 그들의 태도가 달라졌기도 하고 이런저런 이유에서였다. 친구들이 마치 이렇게 말하는 것 같았다. "아, 행복에 겨운 시골총각의 마누라잖아! 너 딱 걸렸어!"

에드먼드의 편지는 한결같이 사랑으로 넘쳤다. 얼마 후에는 그녀가 보낸 편지보다 훨씬 큰 애정이 담겼다. 바바라는 자신의 마음속에서 점점 커지는 냉담함을 보았다. 바라는 것이라고는 정숙하고 고결하게 행동하는 것 하나뿐인 선하고 정직한 부인이 겁을 먹고 비탄에 잠긴 모양새였다. 너무 괴로웠던 나머지 더 따뜻한 마음을 갖게 해 달라고 기도했고, 마침내는 당시 예술의 땅에 체류 중인 남편에게 편지를 써서 하소연했다. 그의 초상화를 보내달라고, 아주 작은 것이라도 하루 종일 날마다 들여다보면서 한시라도 그의 모습을 잊지 않게 해 달라고.

윌로우스는 기꺼이 그러겠다고, 그녀가 원하는 것 이상을 해주겠다고 답장을 보내왔다. 피사에서 한 조각가를 친구로 사귀었는데, 그 조각가가 그와 그의 사연에 깊은 관심을 가지고 있다고 했다. 그 조각가에게 그의 대리석 반신상을 만들어 달라고 하여 완성되면 그녀에게 보내겠다고 했다. 바바라는 좀 더 즉각적인 것을 원했다. 그러나 그녀는 시간이 걸린다고 반대하진 않았다. 다음 편지에서 에드먼드는 그 조각가가 자진해서 반신상을 등신상으로 확대하겠다는 결정을 했다고 알려왔다. 영국의 귀족 사회에 자신의 재능을 알릴 수 있는 견본을 만들고 싶어 안달이 났다는 것이었다. 그 작업은 순조롭게 또 빠르게 진행되고 있었다.

한편 바바라의 관심은 유솔트 오두막집으로 옮겨가기 시작했다. 남편이 돌아오면 거주하라고 다정한 아버지가 준비 중인 그 집이었다. 그곳은 대저택의 설계도로 지은 작은 집 다시 말해 장원의 대저택 형태로 지은 오두막집이었다. 중앙복도 하나와 이것을 에워싼 목제 회랑이 있고, 이런 구조에 맞게 방들은 골방만한 크기였다. 집은 아주 외떨어진 비탈에 빽빽한 나무들로 둘러싸여 있어서 이 숲 나뭇가지에 사는 새들은 낮과 밤을 구분 못하는지 이상한 시간에 울었다.

이집의 수리 공사가 진행되는 동안, 바바라는 그곳을 자주 찾았다. 울창한 숲에 에워싸여 고립된 곳이지만 그래도 간선도로와 가까운 위치였다. 어느 날 울바리 너머를 바라보던 그녀는 업랜드타워스 경이 말을 타고 지나가는 것을 보았다. 그는 정중하면서도 기계적으로 뻣뻣하게 인사를 건네더니 멈추지 않고 그냥 가버렸다. 집으로 돌아간 바바라는 남편에 대한 그녀의 사랑이 멈추지 않게 해달라고 계속 기도했다. 그 후로 그녀는 몸져누웠고, 또 다시 오랫동안 집밖으로 나오지 않았다.

교육 기간은 14개월로 늘어났고, 에드먼드의 귀환에 맞춰 바바라와 신접살림을 차리게 될 집은 단장을 끝낸 상태였다. 그런데 그녀에게 오던 익숙한 편지 대신에 존 그리브 경에게 도착한 개인교사의 육필 편지가 베니스에서 그들에게 심각한 변고가 생겼음을 알려왔다. 윌로우스 씨와 개인교사 본인은 지난주 사순제 기간의 어느 날 밤에 이탈리아 희극을 보러 극장에 들렀단다. 그런데 촛불 끄는 사람의 부주의로 인해 극장에 불이 나 건물 전체가 재로 변했다. 관객 일부가 이성 잃은 사람들을 밖으로 내보내려고 초인적인 힘을 발휘한 결과 그나마 소수는 목숨을 건질 수 있었다. 그중에서도 누구보다 용감하게 목숨을 걸고 나선 이가 바로 윌로우스 씨였다. 사람들을 구하려고 다섯 번째 건물로 다시 들어갔을 때 불붙은 대들보가 그에게 떨어졌다. 사람들은 그가 죽었을 거라고 손을 놓아버렸다. 그러나 하늘의 뜻인지 그는 처참할 정도로 화상을 입긴 했지만 아직 생명이 붙어있는 상태로 발견되었다. 그는 기적적으로 살아남은 것처럼 보이는데 몸은 놀라울 정도로 건강하다. 물론 글을 쓸 순 없지만 대여섯 명의 실력 있는 의사들의 관리를 받고 있다. 더 자세한 내용은 다음 편지 아니면 인편을 통해서 전달하겠다.

개인교사는 윌로우스의 상태에 대해 자세한 언급을 하지 않았지만 바바라는 그 소식을 전해 듣자마자 그와의 관계가 얼마나 강렬한 것인지 깨달았고 당장 그의 곁으로 달려가고픈 본능을 느꼈다. 물론 잘 생각해보면 그 여정은 그녀에겐 불가능해 보이긴 했지만 말이다. 그녀의 건강이 예전과는 사뭇 달랐고, 그맘때 유럽을 급히 여행하거나 배편으로 비스케이 만을 횡단하는 것은 결과를 믿고 정당화하기엔 위험한 모험이었다. 그래도 가고 싶어 안달하던 그녀는 편지의 말미에서 남편의 개인교사가 그런 접근을 아주 강하게 반대하는데다 그것이 의사들의 의견이라는 암시를 읽게 됐다. 윌로우스의 길동무는 그 이유를 밝히진 않았지만 그것은 나중에 저절로 분명히 드러났다.

실상 그 화재로 인해 가장 심각한 부상을 입은 곳은 머리와 얼굴—그녀의 마음을 얻게 했던 그 잘생긴 얼굴—이었다. 개인교사와 의사들은 감수성이 예민한 젊은 여성이 상처가 치유되기 전에 그를 본다면 아내의 의무를 다해 그녀가 그에게 줄 행복보다는 충격을 받은 그녀에게 미칠 불행이 더 크다는 걸 알고 있었다.

그리브 부인은 존 경과 바바라가 내심 생각은 하고 있지만 표현하기엔 너무 민감한 부분을 무심결에 말해버렸다.

"바바라, 네가 견디기 힘들겠지. 그 사람의 작은 재능 중에서 그나마 너의 성급한 선택을 그래도 그럴 만 하다고 여기게 만드는 게 그 하나, 참 잘생긴 얼굴이었는데 말이다. 그런데 이런 식으로 사라져버렸으니 사람들 앞에서 네 행동을 변명할 구실마저 없게 됐구나…… 네가 다른 사람과 결혼했다면 얼마나 좋을까!" 그리브 부인은 한숨지었다.

"그 친구는 곧 예전의 모습으로 돌아올 거야." 그녀의 아버지가 위로하면서 말했다.

이런 대화가 그리 자주 있지는 않았다. 그러나 그리브 부부는 바바라에게 자기비하라는 불편한 감정을 일으키기 충분할 만큼은 그런 말을 꺼냈다. 바바라는 부모님의 말을 더는 듣고 싶지 않았다. 그래서 수리를 끝내고 가재도구도 구비해놓은 유숄트의 집으로 하녀들을 데리고 분가했다. 그녀는 그곳에서 처음으로 그녀 자신과 돌아올 남편 둘 만의 가정에서 안주인이 된 기분을 맛볼 수 있었다.

많은 시간이 지난 뒤에 윌로우스는 손수 편지를 쓸 수 있을 정도로 회복했다. 천천히 또 조심스럽게 자신이 입은 상해 정도를 있는 그대로 그녀에게 알렸다. 그는 시력을 완전히 잃지 않은 건 행운이라고 썼다. 한쪽 눈은 영원히 어둠속에 잠겼지만 나머지 한쪽은 온전한 시력을 유지하고 있으니 감사한 일이라고 했다. 자신의 상태를 자세히 헤아리는, 그의 조심스러운 자세는 바바라에게 그가 얼마나 끔찍한 일을 당했는지를 전해주었다. 그 어떤 것으로도 그녀를 변하게 만들진 못한다는 바바라의 확신에 그는 고맙다고 했다. 그러나 그녀가 그를 알아볼 수는 있을까 의심이 들 정도로 비참하게 그의 몰골이 변했다는 사실을 그녀가 제대로 깨닫지 못하는 것 같아 두렵다고 했다. 그럼에도 불구하고 그녀를 향한 그의 마음은 늘 그래왔듯이 진심이라고 말했다.

바바라는 그의 불안을 통해서 그 이면에 얼마나 많은 것이 놓여있는지를 알 수 있었다. 그녀는 운명에 따르겠다고, 그가 속히 돌아올 수만 있다면 어떤 모습을 하고 있든 기꺼이 환영하겠다고 답장을 보냈다. 그녀는 그와 살게 될 때를 기다리면서 지금 머물고 있는 아름다운 은신처의 주소를 알려주었다. 그러나 그의 잘생긴 외모가 완전히 사라졌다는 소식에 그녀가 얼마나 한숨짓는지는 말하지 않았다. 그를 기다리면서 무척이나 낯선 감정이 느껴진다는 말은 더더욱 하지 않았다. 그들이 함께 한 시간은 떨어져 있는 시간과 비교하기엔 너무도 짧다는······.

월로우스가 집으로 돌아가기에 충분하다고 깨달은 그 시간이 천천히 다가와 있었다. 그는 사우샘프턴에 도착하여 유숄트로 우편을 보냈다. 바바라는 린턴 여인숙까지 마중 나갈 채비를 했다. 그곳은 야반도주를 했던 그날 밤 그가 대기하고 있던 체이스와 숲의 중간 지점이었다. 그녀는 약속 시간에 맞춰서 그곳까지 작은 조랑말이 끄는 마차를 타고 갔다. 그 마차는 새 보금자리에서 특별한 목적에 사용하라며 아버지가 그녀에게 생일 선물로 준 것이었다. 여인숙에 도착한 직후에 그녀는 그 마차를 돌려보냈는데, 남편과 돌아오는 길에는 마부를 고용하기로 계획을 세워뒀기 때문이다.

그 길가 여인숙은 귀부인이 묵어갈만한 곳은 아니었다. 그래도 그 쾌청한 초여름 저녁, 그녀는 주저 없이 바깥을 거닐면서 기다리는 사람이 길을 따라 오는지 주의해서 살펴보았다.

멀리서 크게 이는 먼지 구름이 가까워질 때마다 그가 탄 사륜 역마차가 아니라 다른 마차로 밝혀졌다. 바바라는 약속 시간을 두 시간 넘길 때까지 기다렸는데, 그때부터 걱정이 되기 시작했다. 혹시 영국해협에서 역풍을 만나서 그날 밤 안으로 도착하지 못하는 건 아닐까.

기다리는 동안 그녀는 묘한 전율을 느꼈다. 전적으로 걱정이라고 하긴 그렇고, 무서움이라고 하기도 그런 전율. 그녀의 불확실한 긴장 상태는 실망과 안도의 경계선에 걸쳐 있었다. 교육이 불완전한 반면 잘 생긴 남편과 6주내지 7주 정도를 함께 보낸 뒤에 떨어져 지낸지가 17개월. 사고로 신체적으로 심각한 변화를 겪었다는 남편을 그녀도 알아보지 못하리란 확신이 드는 상황이었다. 이러니 그녀의 복잡한 속내를 이상하다고 할 수 있을까?

그러나 당장 그녀가 처한 곤경은 론던 여인숙을 벗어나는 것이었다. 그녀의 상황이 점점 난처해지고 있었기 때문이다. 바바라의 많은 행동들이 그렇듯이 이번 여정도 깊이 생각하지 않고 실행에 옮긴 터다. 남편의 역마차를 몇 분 정도 기다렸다가 그 마차에 타면 되겠거니 예상하고 망설임 없이 자신의 소형 이륜마차를 돌려보냄으로써 고립을 자초한 셈이다. 오랫동안 떠나있던 남편을 마중 온 그녀의 여행이 이미 인근에서 큰 관심을 일으키는 중이었고, 그런 사정을 그녀 자신도 그쯤에서 알게 됐다. 그녀는 자신과 마주친 눈길 말고도 훨씬 더 많은 시선이 여인숙 창문들 너머로 자신을 지켜보고 있음을 알아챘다.

바바라는 여인숙에서 제공할 수 있는 운송수단이 무엇이든 아무거나 잡아타고 집에 돌아가기로 결심했다. 어느새 어두워진 길을 마지막으로 유심히 살폈을 때 이번에도 먼지 구름 하나가 가까워오고 있었다. 그녀는 멈칫했다. 사륜 경마차 한 대가 여인숙으로 올라갔다. 그런데 그 마차에 탄 사람이 누군가를 기다리듯이 서 있는 그녀를 알아보지 않았더라면 그냥 지나갔을 터다. 곧바로 말들의 고삐가 당겨졌다.

"여기 있다니, 혼자서. 윌로우스 부인 아닌가요?" 업랜드타워스 경이 말했다. 마차는 그의 것이었다.

그녀는 무슨 이유로 그 호젓한 곳에 오게 됐는지 설명했다. 그녀의 집 방향으로 가는 중이니 옆자리에 타고 가라는 그의 제안을 그녀는 받아들였다. 처음엔 그들의 대화가 거북하고 단편적이었다. 그런데 이삼 킬로미터 쯤 갔을 때 그녀는 그를 향해 솔직하고 다정하게 말을 하고 있는 자신의 모습을 발견하고 깜짝 놀랐다. 사실 그녀의 충동은 최근에 그녀가 겪은 일 그러니까 스스로 선택한 묘한 결혼으로 인해 다소 외로웠던 생활의 자연스러운 결과에 불과했다. 그래서 자신에게 늘 신중한 방식을 고수해온 남자와 엉떨결에 얘기를 하게 된 여자의 기분 그 이상의 경솔한 분위기는 없었다. 그렇다보니 그가 주도하는 질문들에 대해 답변을 하면서 또는 자신의 문제에 대해 이 정도는 되겠다 싶을 정도의 암시를 하면서 그녀의 솔직한 마음이 불쑥 목구멍까지 올라왔다. 업랜드타워스 경은 원래 가는 길에서 5킬로미터를 벗어나는 상황이긴 해도 그녀를 집 앞까지 데려다 주었다. 그리고 그녀는 그의 손을 잡고 마차에서 내리는 동안 그가 속삭이듯이 전하는 단호한 비난의 말을 들었다.

"그러게 내 말을 들었더라면 이럴 필요는 없었을 텐데요!"

그녀는 아무런 대꾸를 하지 않고 집안으로 들어갔다. 밤이 지나는 동안 그녀는 업랜드타워스 경에게 너무 살갑게 굴었던 것을 후회하고 또 후회했다. 그런데 그가 뜻밖에 그녀에게 적극적으로 나오긴 했다. 그와의 만남을 예상만 했더라도 그녀는 행동 하나하나를 참으로 신중하게 보여줄 수 있었을 텐데! 바바라는 자신의 앞뒤 없는 솔직함에 대해 생각하다가 근심스러워져서 식은땀을 흘렸다. 자책 속에서 돌아올지 모르는 에드먼드를 자정까지 자지 않고 기다리기로 마음먹었다. 다음날까지 돌아올 가능성은 없어 보였지만 그래도 그를 위한 저녁식사를 준비해놓으라고 일러두었다.

시간이 지나갔고, 유숄트 오두막집의 안팎엔 바람에 살랑거리는 나무 소리 외엔 쥐 죽은 듯이 고요했다. 자정이 가까워올 즈음, 그녀는 문가를 향해 다가오는 말발굽과 바퀴 소리를 들었다. 남편일거라고 생각한 바바라는 그를 맞이하기 위해 곧장 현관으로 갔다. 그런데 거기 서 있는 동안 기절할 것 같은 현기증이 없지 않았다. 남편과 헤어진 후로 얼마나 많은 것들이 변했던가! 더구나 업랜드타워스 경과의 우연한 만남 때문에 그의 목소리와 모습이 그녀 마음 속 인상의 중심에 남편인 에드먼드를 몰아내고 계속해서 남아 있었다.

그녀가 문가로 갔을 때 곧바로 그녀에게 윤곽만 눈에 익을 뿐 그것 말고는 거의 낯설다시피 한 사람 하나가 안으로 들어섰다. 그녀의 남편은 펄럭이는 검은 망토와 챙이 늘어진 모자를 쓰고 있었는데, 그녀의 곁을 떠나갔던 젊은 영국인이 아니라 외국인처럼 보였다. 그가 램프의 불빛 안으로 다가서자, 그녀는 놀라면서 또 거의 경악하면서 그가 복면을 쓰고 있음을 알아챘다. 처음엔 그걸 알아채지 못했다. 무심히 봤더라면 진짜 얼굴이라고만 생각할 정도로 색깔의 차이가 없었다.

그는 예상치 못한 그의 모습에 그녀가 당황하면서 소스라치게 놀라는 것을 눈치 챈 모양이었다. 서둘러서 이렇게 말한 것을 보면 말이다. "이런 식으로 당신한테 오려던 게 아니었어. 당신이 자고 있는 줄 알았어. 당신은 정말 좋은 사람이야, 바바라!" 그는 그녀를 껴안았지만 키스를 하려고 하진 않았다.

"아, 에드먼드. 당신이야? 정말?" 그녀는 두 손을 모아 쥐고 말했다. 모습과 움직임으로 봐서 그가 에드먼드임이 거의 확실했고 목소리도 예전과 다르지 않았지만, 발음은 너무 변해서 낯선 사람 같았다.

"여인숙 하인들과 다른 사람들의 호기심을 피하려고 이렇게 검싸고 있는 거야." 그는 목소리를 낮추고 말했다. "마차를 돌려보내고 금방 올게."

"당신 혼자야?"

"응. 동료는 사우샘프턴에 잠깐 머물고 있어."

그녀가 저녁 식사를 차려놓은 식당으로 들어서는 동안 역마차의 바퀴 소리가 멀어져갔다. 곧이어 그가 식당으로 들어왔다. 그는 망토와 모자를 벗었지만 복면은 그대로 쓰고 있었다. 그녀는 그제야 그것이 특수한 복면 그러니까 실크처럼 신축성 있는 소재로 만들고 피부처럼 색칠한 것임을 알게 됐다. 복면은 앞 머리칼까지 자연스럽게 이어졌고, 그 밖에 다른 부분들도 솜씨 좋게 만들어져 있었다.

"바바라, 당신 아파 보여." 그는 장갑을 벗고 그녀의 손을 잡고서 말했다.

"응, 그동안 아팠어." 그녀는 말했다.

"이게 우리의 아담하고 멋진 집이야?"

"어, 그래." 그녀는 자신이 무슨 말을 하고 있는지 거의 모르고 있었다. 그녀의 손을 잡으려고 장갑을 벗은 그 손이 오그라들어있는데다 손가락 한 두 개가 없었기 때문이다. 복면 사이로 그녀가 찾아낸 눈의 반짝임은 오로지 하나뿐이었다.

"지금 이 순간 당신과 키스할 수만 있다면 뭐든 걸 다 걸겠어!" 그는 서글픈 열정으로 말을 이었다. "하지만 이 복면을 쓰고는 못해. 하인들은 잠들었겠지, 아마?"

"응." 그녀는 말했다. "하지만 부를까? 저녁 좀 먹을래?"

그는 조금 들겠다고 말했지만 그 시간에 누굴 부를 필요까진 없다고 했다. 식탁으로 간 그들은 서로 마주보고 자리를 잡았다.

바바라가 겁에 질린 상황이긴 해도 남편이 떨고 있다는 것을 알아챌 수밖에 없었다. 그는 마치 자신이 일으키고 있는 아니면 일으키게 될 인상을 그녀만큼이나 아니 그 이상으로 두려워하고 있는 것 같았다. 그는 가까이 다가가 다시 그녀의 손을 잡았다.

"이 복면을 베니스에서 만들었어." 이렇게 입을 연 그에게 당혹감이 역력했다. "사랑하는 바바라, 내 소중한 아내, 내가 이 복면을 벗어도 당신 괜찮겠어? 날 싫어하지 않을 거지, 응?"

"에이, 에드먼드. 괜찮고말고." 그녀는 말했다. "당신에게 벌어진 일은 우리의 불행이야. 하지만 난 그걸 감당할 각오가 되어 있어."

"정말 각오하고 있는 거야?"

"그렇고말고! 당신은 내 남편이야."

"당신 정말 외형적인 어떤 모습에도 영향 받지 않을 자신 있는 거야?" 그는 불안감에 자신이 없는 목소리로 다시 말했다.

"그렇다니까." 그녀는 기어들어가는 소리로 대답했다.

그는 고개를 숙였다. "정말, 정말 당신이 그랬으면 좋겠어." 그는 속삭였다.

이어진 정적 속에서 시계 소리가 점점 커지는 것 같았다. 그는 복면을 벗으려고 약간 몸을 틀었다. 그녀는 그 과정을 숨죽이고 기다렸다. 한순간 그를 쳐다보다가 또 한순간 눈길을 돌려버리는 그 시간이 무척이나 길게 느껴졌다. 그 과정이 끝났을 때 그녀는 실체를 드러낸 섬뜩한 광경에 그만 두 눈을 질끈 감아버렸다. 발작적인 공포의 전율이 그녀의 온몸을 훑고 지나갔다. 그러나 겁에 질린 자신을 꾹 억누르고 그를 다시 쳐다보면서 창백해진 입술에서 저절로 터지려는 비명을 참아냈다. 그를 더 쳐다볼 수 없었던 바바라는 눈을 감은 채 의자 옆 바닥에 쓰러졌다.

"날 쳐다보지 못하네!" 그는 절망스럽게 신음했다. "난 당신도 견딜 수 없는 끔찍한 물건이야! 알아. 그래도 혹시나 희망을 품었지. 아, 이건 처참한 운명이야. 날 살려낸 베니스 의사들의 실력이 저주스러워! …… 고개 들어, 바바라." 그는 애원하면서 말했다. "나를 제대로 쳐다봐줘. 내가 역겨우면 그렇다고 말해. 그래서 우리 이 문제를 영원히 끝내자!"

그의 불행한 아내는 필사적으로 마음을 추슬렀다. 그는 그녀의 에드먼드였다. 그는 그녀에게 아무런 잘못도 하지 않았다. 그는 고통을 겪어왔다. 이렇게 그에 대한 일시적인 애정을 되살려낸 것이 그녀에게 도움이 돼서 그가 시키는 대로 눈을 들어 그 인간의 자투리를, 그 에코르셰(근육과 골격이 드러나도록 그린 인체나 동물의 그림이나 모형—옮긴이)를 다시 쳐다보았다. 그녀는 자기도 모르게 또 시선을 돌리고 진저리쳤다.

"당신 이 모습에 익숙해질 수 있을 것 같아?" 그는 말했다. "그래, 안 그래? 바로 옆에 납골당이 있는 그런 기분을 견딜 수 있어? 바바라, 스스로 판단해. 당신의 잘 생긴 남자가, 당신의 최고 남자가 이 꼬락서니가 됐다고!"

가여운 여자는 그의 곁에서 하염없이 눈물을 흘리며 가만히 서 있었다. 일종의 공황상태 때문에 애정과 연민의 자연스러운 감정들이 그녀한테서 모조리 빠져나가버렸다. 그녀는 유령과 마주한다면 그럴 것 같은 당황과 공포의 감정을 느꼈다. 이것이 그녀가 선택한 사람 그녀가 사랑한 남자일거라고는 꿈도 꾸지 않았다. 그는 다른 종의 표본으로 변형되어 있었다.

　"난 당신을 역겨워하지 않아." 그녀는 떨면서 말했다. "하지만 무서워. 감당이 안 돼! 마음을 다잡아야겠어. 지금 저녁 먹을래? 당신이 식사를 하는 동안, 난 내 방에 가서 당신을 향한 예전의 감정을 되살려 봐도 될까? 잠시만 당신이 혼자 있어도 괜찮다면, 노력해 볼게, 어때? 그래, 노력해볼게!"

　그의 대답을 기다리지 않고 시선을 조심스럽게 계속 회피한 채 겁에 질린 여자는 슬그머니 문가로 가더니 식당을 빠져나갔다. 그녀는 그가 저녁 식사를 시작하려는 것처럼 식탁 앞에 자리를 잡는 소리를 들었다. 자신이 예상한 최악의 반응을 확인한 뒤에 얼마나 식욕이 남아있을지는 모를 일이었다. 바바라는 계단을 올라 자신의 방에 들어섰을 때 주저앉아서 침대보에 얼굴을 파묻었다.

　그녀는 그렇게 한동안 있었다. 침실은 식당 바로 위여서 곧 마룻바닥에 무릎을 꿇은 바바라는 윌로우스가 의자를 밀치고 복도로 나가려고 일어서는 소리를 들었다. 5분도 채 지나지 않아서 그가, 그녀의 남편이 아닌 저 새롭고도 오싹한 형체가 계단을 올라와 그녀와 다시 마주하려는 것이다. 밤의 쓸쓸함 속에서 하녀도 친구도 곁에 없이 그녀는 자기 통제력을 완전히 잃어버렸다. 그래서 계단을 오르는 첫 발소리를 듣자마자 소리 나지 않게 망토를 휘감아 걸치고 방에서 뛰쳐나가, 뒤 계단을 향해 복도를 내달렸다. 뒤 계단을 내려가서 뒷문을 열고 밖으로 나왔다. 온실 안의 한 화분대에 웅크리고 있는 자신을 발견할 때까지 그녀는 자기가 무엇을 하고 있는지조차 거의 깨닫지 못했다.

이곳에서 그녀는 겁에 질린 큰 눈망울로 유리창 너머 정원을 예의주시했는데, 가끔씩 이곳에 출몰하는 들쥐가 무서워서 치맛자락을 접어 올렸다. 그리도 간절히 기다렸던 발소리를 듣게 될까봐, 그녀의 영혼에 울리는 음악과도 같았던 목소리를 듣게 될까봐 매순간 무서웠다. 그러나 에드먼드는 그쪽으로 오지 않았다. 절기상 밤이 짧아져서 곧 새벽이 밝았고 첫 여명이 비추었다. 햇빛 속에서 그녀의 두려움은 어둠 속보다는 덜했다. 그녀는 그를 만날 수도 있을 것 같았고, 그 모습에 적응할 수도 있을 것 같았다.

이 젊은 여성은 온실의 문을 열려고 몇 번을 시도한 끝에 몇 시간 전에 자신이 왔던 길로 뒤돌아갔다. 그녀의 가여운 남편은 긴 여행의 피로에 아마 잠들어 있을 것 같았다. 그녀는 최대한 소리를 내지 않으면서 집안으로 들어섰다. 집안은 그녀가 나갔을 때와 똑같았다. 그녀는 그의 망토와 모자가 있는지 현관을 두리번거렸지만 보이지 않았다. 그가 가져왔던 작은 여행가방도 보이지 않았다. 더 큰 짐들은 화물마차 편으로 옮기려고 사우샘프턴에 놔두고 왔었다.

그녀는 용기를 내서 계단을 올랐다. 침실 문은 그녀가 나갔을 때처럼 열려 있었다. 그녀는 벌벌 떨면서 방안을 들여다보았다. 침대엔 누웠던 흔적이 없었다. 아마 그는 식당의 소파에서 잠을 잔 모양이었다. 그녀는 계단을 내려가 식당으로 들어갔다. 그는 거기 없었다. 식탁 위 손 대지 않은 접시 옆에 수첩을 한 장 찢어서 급하게 쓴 쪽지가 놓여 있었다. 그 내용은 이랬다.

> "영원히 사랑하는 아내에게
> 내 무서운 얼굴이 당신에게 일으킨 반응은 충분히 예상한 것이었어. 그래도 혹시나 했건만 역시나 바보 같은 기대였군. 그 어떤 인간의 사랑도 이런 재해를 견뎌낼 수 없다는 거 알아. 솔직히 말해서 당신의 사랑은 거룩하다고 생각했어. 그런데 너무도 오랫동안 헤어져 있었던 탓에 극히 자연스러운 첫 대면의 혐오를 이겨낼 만한 다정함이 충분히 남아있지 못했나봐. 이건 실험이었고 실패했어. 당신을 탓하지 않아. 어쩌면 오히려 잘 된 일인지 몰라. 잘 있어. 일 년간 영국을 떠나 있을 거야. 당신은 일 년 뒤에 날 다시 만나게 되겠지. 내가 살아있다면 말이지. 그때 가서 난 당신의 진심을 확인할 거야. 나를 원하지 않는다면, 그때 영원히 떠나겠어.
> 에드먼드 윌로우스"

충격에서 회복한 바바라의 후회는 너무도 커서 자기 자신을 절대 용서할 수 없을 것만 같았다. 그녀는 아이처럼 눈에 보이는 것에만 현혹되지 말고 그를 고통 받는 존재로 대했어야 했다. 맨 처음 든 생각은 그를 쫓아가서 돌아오라고 애원하는 것이었다. 그러나 수소문하는 과정에서 알게 된 것은 아무도 그를 보지 못했다는 점이다. 그는 조용히 사라졌다.

무엇보다 간밤의 일을 되돌리는 건 불가능했다. 그녀의 공포는 너무도 분명했고, 그는 그녀가 아내로서의 의무를 다한답시고 구슬려서 돌아오게 할 수 있는 그런 남자가 아니었다. 부모님을 찾아간 그녀는 벌어진 일을 남김없이 털어놓았다. 그리고 그 일은 머잖아 그녀의 가족 이외의 다른 사람들에게도 알려졌다.

일 년이 지났고, 그는 돌아오지 않았다. 그가 살아있기는 한지 의문이었다. 자신의 극복할 수 없는 혐오 때문에 바바라의 회한은 이제 더욱더 깊어져서 신도석을 봉헌하거나 기념비를 세워서 여생 동안 자선 활동에 헌신하고 싶을 정도였다. 그러기 위해서 주일마다 목사석에서 수직으로 6미터 아래인 신도석에 앉아서 훌륭한 교구목사에게 문의하고 알아보았다. 그러나 목사는 가발을 고쳐 쓰고 코 담뱃갑을 두드리는 게 다였다. 당시에는 종교의 열의 없는 상태가 극심해서 그 일대 어디서도 신도석, 뾰족탑, 주랑 현관, 동쪽 창문, 십계명판, 황동 촛대 하나라도 괴로운 영혼들에게 봉헌물로 요구하지 않았기 때문이다. 이런 점에서 그때와 우리가 살고 있는 이 행복한 시절과는 크게 대비되는 지난 세기에는 이런 물건들을 봉헌하라는 절실한 호소들이 매일 아침마다 우편으로 쏟아졌고, 거의 모든 교회들은 새로 찍어낸 화폐처럼 보일 정도였다. 결국 이런 방법으로 양심의 가책을 달랠 수 없었던 이 가련한 여인은 얼마 지나지 않아서 매일 아침마다 자신의 집 포치에 기독교국에서 가장 누추하고 가장 게으르고 가장 술에 찌들고 위선적이고 쓸모없는 부랑자들을 몰려들게 함으로써 위안을 느꼈다.

그러나 인간의 마음은 벽 담쟁이의 잎처럼 변하기 십상이다. 남편의 소식을 알길 없는 바바라는 머지않아서 어머니와 친구들이 들리게끔 이렇게 말하는 동안에도 흔들림 없이 앉아있을 수 있었다. "하긴, 이렇게 된 게 잘 된 일이지, 뭐." 그녀 자신도 그렇게 생각하기 시작했다. 이제는 몸서리를 치지 않고는 그 잘려지고 훼손된 모습을 떠올릴 수조차 없었다. 물론 신혼 초기를 떠올릴 때마다 그때 그녀의 곁에 서 있던 남자가, 그 다정함의 전율이 그녀를 감동시켰고 그 감동은 살아있는 그의 존재에 의해 어쩌면 더욱더 강렬해졌을지도 모르지만 말이다. 그녀는 어렸고 경험이 부족했다. 그리고 그가 늦게라도 돌아올지 모른다는 생각도 소녀 시절의 변덕스러운 환상에서 거의 벗어나지 못한 것이었다.

그러나 그는 다시 돌아오지 않았다. 살아있다면 다시 놀아오겠던 그의 말을 떠올리던 그녀는, 그가 자신이 한 약속을 반드시 지키는 사람임을 생각하던 그녀는 그가 죽었을 거라고 포기했다. 그녀의 양친도 그렇게 생각했다. 다른 사람도 다시 말해 그 침묵의 남자, 저항할 수 없이 신랄한 남자, 고요한 얼굴의 남자, 가문의 기념비에 새겨진 형체들처럼 곤히 잠들어 있는 것 같아도 일곱 파수꾼처럼 깨어있는 그 남자도 그렇게 생각했다. 업랜드타워스 경은 아직 서른 살이 되지 않았는데도, 돌아온 남편을 보고 바바라가 겁에 질려 도망쳤고 남편은 곧바로 떠나버렸다는 말을 들었을 때 빈정거리기 좋아하는 60세 노인처럼 낄낄거렸다. 그러나 그는 확신했다. 월로우스가 마음의 상처를 받았어도 12개월이 지나 살아있다면 다시 돌아와서 반짝이는 눈망울의 여인에 대해 자신의 소유권을 주장할 거라고.

같이 살 남편이 없었던 바바라는 아버지가 마련해 준 그 집을 포기하고 처녀 때처럼 쉔의 장원 저택으로 다시 들어갔다. 시나브로 에드먼드 월로우스와의 일들은 달뜬 꿈만 같아져갔고, 몇 달이 몇 년이 되는 동안 쉔의 집안사람들과 업랜드타워스 경의 친분—바바라의 야반도주 이후 꽤나 냉랭해졌던 관계—는 상당부분 회복되어 그는 다시금 그 장원을 자주 찾는 방문자가 되었다. 그는 의논할 일이 있어서 쉔 장원의 존 경을 찾아갈 때를 제외하고 거주 중인 놀링우드 홀에 대해 아주 사소한 변화나 개보수 공사마저 시도할 짬이 없었다. 그렇게 뻔질나게 눈앞에 나타나는 그에 대해서 바바라는 점점 익숙해졌고 형제처럼 허물없이 얘기를 나누게 되었다. 심지어 그를 권위와 판단력을 지닌 신중한 사람으로 존경하기 시작했다. 밀렵꾼, 밀수꾼, 순무 서리꾼들을 그가 얼마나 가혹하게 처리하는지 악명이 자자했지만, 그래도 그녀는 소문의 많은 부분이 와전된 것이라고 여기며 그를 신뢰했다.

그들의 삶이 이런 식으로 지속된 것은 그녀의 남편이 부재한 기간이 몇 년으로 늘어날 때까지 그래서 그의 죽음에 더는 의심의 여지가 없을 때까지였다. 주거지를 새로 고치는 일에 열의가 없었던 업랜드타워스 경의 태도는 이제 적절해 보이지 않았다. 바바라는 그를 사랑하지 않았다. 그러나 그녀는 본질적으로 매달리고 꽃을 피우기 위해서는 자기보다 더 튼튼한 가지가 필요한 스위트피(콩과 식물. 애인이라는 뜻도 있음—옮긴이) 또는 덩굴식물이었다. 이제 그녀도 나이가 들어서 성묘 탈환을 위해 수많은 사라센인과 죽기 살기로 싸웠던 조상을 둔 남자가 사회적인 인식 면에서 더 바람직한 남편임을 스스로 인정하게 됐다. 아버지와 할아버지가 기껏해야 존경할만한 시민이었다는 남자보다는 그랬다.

존 경이 기회를 봐서 딸에게 전하길, 법적으로 자신을 과부로 간주해도 무방하다고 했다. 간단히 말해서 업랜드타워스 경은 그녀를 설득했고, 그녀는 그와 결혼했다. 물론 그는 그녀가 윌로우스를 사랑했던 것만큼 자신을 사랑하게 할 수는 없었지만 말이다. 나는 어린 시절에 한 노부인을 알고 있었는데, 그 노부인의 어머니가 그 결혼식을 지켜보았다. 그분의 말에 따르면, 업랜드타워스 부부는 결혼식 저녁에 존 경의 집에서 네 필의 말이 끄는 마차를 타고 떠났다고 한다. 업랜드타워스 부인은 녹색과 은색 옷을 입었고, 생전에 처음 보는 화려한 모자를 쓰고 깃털 장식을 했다. 녹색이 안색과 어울리지 않았는지 아니면 그 반대였는지는 몰라도 백작부인은 창백하게 보였고, 꽃이 만개한 한창나이 때와는 정반대로 보였다. 결혼식 후에 남편은 그녀를 런던으로 데려갔고, 그녀는 거기서 그 계절의 화사함을 보았다. 그러고 나서 그들은 놀링우드 홀로 돌아왔다. 이렇게 일 년이 지나갔다.

결혼 전에 남편은 자신을 열정적으로 사랑할 수 없는 아내의 무력감에 그리 신경을 쓰는 것 같지 않았다. "당신을 갖게만 해줘." 그는 말했었다. "그러면 모든 걸 감수할게." 그러나 이제는 그녀의 다정함이 부족하다고 그가 짜증을 냈고, 그녀를 향해 화가 난 행동을 일삼음으로써 그녀가 그와 함께 있는 시간 대부분을 고통스러운 침묵으로 보내게 만들었다. 백작 작위를 물려받게 될 후계자는 업랜드타워스 경의 먼 친척이었다. 그 친척은 업랜드타워스 경이 많은 사람들과 사물에 대해 품고 있는 반감에서 벗어나 있지 않은 인물이었다. 업랜드타워스 경은 자신의 친자식에게 작위를 물려주겠다고 결심했다. 그는 자식이 생길 기미가 보이지 않자 그녀를 많이 책망하면서 대체 잘 하는 게 뭐냐고 묻기까지 했다.

그녀의 우울한 삶이 지속되던 어느 날, 윌로우스 부인을 수신인으로 하는 편지 한 통이 예상치 못한 곳으로부터 업랜드타워스 부인에게 도착했다. 그녀의 재혼에 대해 전혀 모르고 있던 피사의 조각가가 오랫동안 지체된 윌로우스 씨의 등신상에 대해 알려왔던 것이다. 그녀의 남편이 피사를 떠날 때 그 등신상을 운반할 때까지만 맡아달라고 했는데, 아직도 자신의 작업실에 있다고 했다. 작품 비용을 다 받지 못한데다 공간이 열악한 작업실의 자리까지 차지하고 있으니 남은 비용을 청산하고 등신상을 보낼 주소를 알려주면 기쁘겠다고 했다. 편지가 도착한 시점은 점점 소원해지는 관계로 인해 그녀가 남편 몰래 작은 비밀들(사실은 무해한 비밀들)을 품기 시작한 때여서 업랜드타워스 경에게는 한 마디 말도 없이 답장을 통하여 그 조각가에게 갚아야할 비용을 동봉함과 동시에 지체 없이 그 등신상을 보내달라고 했다.

그 편지가 놀링우드 홀에 도착하기 몇 주 전, 우연히도 그녀는 에드먼드의 죽음에 관한 최초의 결정적인 소식을 들었었다. 그는 외국 땅에서 수년전 그러니까 그들이 헤어지고 6개월쯤 지났을 때 이미 겪고 있던 고통에 심각한 우울증까지 겹쳐 가벼운 질병마저 이기지 못하고 숨을 거두었다는 것이다. 이 소식은 영국의 다른 지역에 살고 있는 윌로우스의 친척이 그녀에게 보낸 간략하고 형식적인 편지에 담겨 있었다.

그녀의 슬픔은 그의 불운에 대한 강한 연민의 형태를 띠었고, 자연이 원래 만든 그의 모습을 되새김으로써 나중의 모습에 대한 혐오를 도저히 극복할 수 없었던 그녀 자신에 대한 자책의 형태를 띠었다. 지상에서 사라져버린 그 슬픈 모습은 그녀에게 결코 에드먼드가 아니었다. 아, 첫 만남처럼 그를 만날 수 있었더라면! 이렇게 바바라는 생각했다. 불과 며칠이 지난 후에 말 두필이 끄는 짐마차 한 대가 거대한 포장상자를 싣고 빙 돌아서 저택 뒤쪽으로 가는 광경이 아침 식사 중이던 바바라와 남편의 눈에 들어왔다. 곧이어 백작부인에게 보내는 '조각품'이라는 명찰이 붙은 상자 하나가 도착했다고 하인이 전해왔다.

"저게 뭐지?" 업랜드타워스 경이 말했다.

"불쌍한 에드먼드의 조각상이에요. 원래 내 것인데 지금까지 받질 못했어요." 그녀는 대답했다.

"저걸 어디에 놓을 거지?" 그가 물었다.

"아직 결정 안 했어요." 백작부인이 말했다. "아무 곳이나, 당신이 마음 상해하지 않을 곳이면."

"아, 마음 안 상해." 그는 말했다.

저택의 한 밀실에서 상자를 풀었을 때 부부는 그것을 보러 갔다. 조각상은 순백의 카라라 대리석으로 만든 실물 크기였다. 에드먼드 윌로우스의 독보적인 아름다움을 고스란히 재현한 그것은 그녀와 헤어져 본격적으로 여정에 나서던 무렵의 그를 보여주고 있었다. 선과 윤곽 하나하나가 완벽에 가까운 남성의 표본이자 모델을 있는 그대로 지극히 충실하게 구현해 낸 작품이었다.

"아폴로 상이군, 확실해." 그때까지 실물이든 표현물이든 간에 윌로우스를 한 번도 본 적이 없는 업랜드타워스 경이 말했다.

바바라에겐 남편의 말이 들리지 않았다. 그녀는 전남편 앞에서 황홀경에 취해 서 있었다. 그녀의 곁에 있는 또 다른 남편은 안중에도 없는 것 같았다. 윌로우스의 훼손된 모습은 그녀의 뇌리에서 사라지고 없었다. 나중의 가련한 모습이 아니라 그 완벽한 존재야말로 그녀가 사랑했던 진정 그 남자였다. 바로 그 모습을 통해서 언제나 사랑과 진실을 보았어야 했건만, 그러질 못했다.

그녀가 정신을 차린 것은 업랜드타워스 경이 부루퉁하게 이런 말을 했을 때였다. "아침나절 내내 여기서 저걸 숭배하면서 보낼 작정이야?"

그녀의 남편은 이때까지도 에드먼드 윌로우스가 원래 그렇게 생겼을 거란 일말의 의심도 하지 않았다. 수년전에 윌로우스를 직접 만나본 적이 있다면 그때 그의 질투가 얼마나 깊었을지는 모를 일이었다. 그날 오후에 외출했던 그가 돌아와 보니 아내는 넓은 복도에 있었는데, 그곳에 조각상을 가져다놓았다.

그녀는 아침때처럼 조각상 앞에서 정신이 팔려 있었다.

"뭐하는 거지?" 그는 물었다.

그녀는 화들짝 놀라서 돌아보았다.

"내 남—, 내 조각상을 보고 있었죠. 잘 마무리됐는지 확인 중이에요." 그녀는 말을 더듬었다. "그, 그러면 안 되나요?"

"안 될 이유야 없지. 그런데 그 괴물딘지를 어떻게 할 생각이야? 언제까지나 여기 세워둘 순 없어."

"그걸 바라는 건 아니에요. 장소를 찾아볼 게요."

그녀의 부인용 내실에는 깊숙한 벽감이 하나 있었다. 그 다음 주에 백작이 며칠 집을 비우는 사이 그녀는 마을에서 소목장을 불러 그 벽감에 양판문을 달게 했다. 이렇게 만들어진 임시 보관실에 조각상을 설치하고 자물쇠로 문을 잠갔다. 그리고 그 열쇠를 늘 그녀의 호주머니에 넣어두었다.

집에 돌아온 그녀의 남편은 넓은 복도에서 조각상이 사라진 것을 보고 자신의 비위를 맞추기 위하여 어디로 치워버렸겠거니 생각하고 아무 말 하지 않았다. 그런데 그는 때때로 아내의 얼굴에서 전에 없던 뭔가를 알아챘다. 그것이 무엇인지는 헤아릴 수 없었다. 침묵의 무아경이라고 할까 내색하지 않는 축복이라고 할까. 그 조각상이 어떻게 됐는지 짐작할 수 없었고, 점점 더 호기심이 강해지던 그는 이리저리 살펴보다가 아내의 내실을 떠올리고 그곳으로 향했다. 그가 내실의 문을 두드리고 난 후, 안에서 문을 닫는 소리에 이어 열쇠의 찰칵 소리가 들려왔다. 그런데 그가 안으로 들어갔을 때 아내는 앉아서 뜨개질 그러니까 당시에 일컫던 말로 레이스 뜨개질을 하고 있었다. 업랜드타워스 경의 시선이 예전에 벽감이었던 자리, 새로 색칠 된 문에 가서 멈추었다.

"내가 없는 동안 목공일을 했군 그래, 바바라." 그는 무심하게 말했다.

"그래요. 업랜드타워스."

"그 멋진 벽감의 아치를 저런 격 떨어지는 문짝으로 망치다니 이유가 뭐지?"

"벽장이 더 필요해서요. 그리고 여긴 내 방이라고 생각했어요."

"그야 물론이지." 그는 대꾸했다. 업랜드타워스 경은 이제 그 젊은 윌로우스의 등신상이 어디에 있는지 알게 됐다.

어느 날 밤 아니 자정을 넘긴 이른 새벽, 그는 백작부인이 옆자리에 없는 것을 알아챘다. 신경과민의 상상 같은 건 하지 않는 그였기에 별스럽지 않게 여기고 다시 잠이 들었고, 다음 날 아침엔 그 일을 잊어버렸다. 그런데 며칠이 지나서 똑같은 상황이 벌어졌다. 이번에는 잠이 확 깼다. 그러나 아내를 찾아보려는데 마침 실내복 차림의 그녀가 방안으로 들어왔다. 그녀는 그가 잠들어있다고 생각했는지 가까이 다가오면서 들고 있던 촛불을 껐다. 그는 그녀의 숨결을 통해서 그녀가 묘한 감정 상태에 있음을 알아챘다. 그러나 이번에도 모른 척하고 있었다. 곧이어 그녀가 침대에 눕자 그때 잠을 깬 척하면서 그가 지나가듯 몇 가지 물었다.

"응, 에드먼드." 그녀는 무심코 대답했다.

업랜드타워스 경은 자기가 알아챈 것보다 더 자주 그녀가 기묘한 방식으로 방을 나갔다오곤 한다고 확신했다. 그래서 지켜보기로 마음먹었다. 다음날 자정, 그는 깊이 잠든 척 했고, 곧이어 그녀가 은밀하게 일어나더니 어둠 속에서 방을 나가는 기척이 느껴졌다. 그는 슬며시 옷가지를 걸치고 뛰따라갔다. 그녀는 복도 맨 끝에서 부싯돌과 부시를 (침실에서는 들리지 않는 소리로) 부딪쳐 촛불을 켰다. 그는 빈방으로 들어간 뒤 그녀가 촛불을 들고 자신의 내실로 갈 때까지 기다렸다. 일이 분이 지나서 그는 뒤따라갔다. 내실 문 앞에 도착해 보니, 비밀 벽감의 문이 열려 있었고 그 안으로 들어간 바바라는 에드먼드의 목을 꼭 껴안고 서서 그 석상에 입을 맞추고 있었다. 잠옷 위에 두른 숄이 어깨에서 흘러내렸고, 그녀의 길고 흰 잠옷과 창백한 얼굴은 석상을 껴안고 있는 또 다른 석상처럼 보이게 만들었다. 입맞춤 중간에 그녀는 천진스러운 다정함으로 소리죽여 상대를 불렀다.

"내 하나뿐인 사랑. 내가 어떻게 당신한테 그리도 잔인하게 굴 수 있었을까. 내 완벽한 사람. 너무도 선하고 진실한 사람. 내가 부정해보일지라도 난 언제나 일편단심 당신뿐이야! 언제나 당신을 생각하고 당신을 꿈 꿔. 하루 종일 그리고 밤새워! 아, 에드먼드. 나는 언제나 당신 거야!"

이런 말들이 흐느낌과 섞였고, 흐르는 눈물과 흐트러진 머리칼은 그녀의 감정이 얼마나 강렬한가를 증언하고 있었다. 업랜드타워스 경은 자신의 아내가 그런 감정을 지니고 있을 거라고는 꿈에도 생각한 적이 없었다.

"하! 하!" 그는 혼잣말했다. "여기가 우리가 죽을 곳이로군. 여기가 바로 내 백작 작위의 후계자라는 소망이 사라지는 곳이렷다. 하! 하! 두고 봐라, 반드시!"

업랜드타워스 경이 그때 즉석에서 간단명료하게 지속적인 유연책을 생각해내진 않았지만 그래도 일단 책략을 세우기 시작하면 그는 교활한 사람이었다. 그는 얼간이들이나 그러듯이 방안으로 들어가 아내를 깜짝 놀라게 하는 대신에 처음처럼 소리 없이 침실로 돌아갔다. 백작부인이 소모한 흐느낌과 한

탄에 동요하며 침실로 돌아왔을 때, 그는 여느 때처럼 곤히 잠들어 있는 듯이 보였다. 다음날 그는 아내의 전남편과 여행을 함께 했던 개인교사의 행적을 탐문하는 것으로 맞대응을 시작했다. 알고 보니 그 신사는 현재 놀링우드에서 그리 멀지 않은 한 그래머스쿨의 교사로 재직 중이었다. 업랜드타워스 경은 시간이 나는 대로 그곳을 찾아가서 그 신사와 면담을 가졌다. 교사는 유력가의 방문에 무척 고마워했고, 백작이 알고 싶어 하는 것은 무엇이든 말해줄 준비가 되어 있었다.

학교와 그 발전 과정에 대한 일반적인 대화가 오고간 뒤에 방문자는 교사에게 한때 불운한 윌로우스 씨와 꽤 오랫동안 여행을 함께 했고 사고를 당했을 때도 곁에 있었던 것으로 안다고 말했다. 업랜드타워스 경은 그때 무슨 일이 벌어졌는지 관심이 있어서 종종 묻고 싶은 생각을 한다고 했다. 이로써 백작은 알고 싶은 상당부분을 말로 전해 들었고, 두 사람의 대화가 친밀해지자 교사는 종이를 꺼내 손상된 머리를 스케치하더니 그것을 보면서 열띤 목소리로 여러 각도에서 자세한 설명을 해주었다.

"굉장히 이상하고 섬뜩하군!" 업랜드타워스 경은 스케치를 받아들고서 말했다. "코도 없고 기도 없다니!"

놀링우드 홀에서 가장 가까운 마을에 한 가난한 남자가 있었는데, 정교한 기계공으로서 간판 그림을 병행하는 사람이었다. 업랜드타워스 경은 아내가 잠시 자신의 양친을 뵈러 간 동안 사람을 보내 그 기계공을 놀링우드 홀로 데려왔다. 그를 고용한 백작은 남자의 도움이 요구되는 일이 비밀을 엄수해야 하고 그 비밀을 지킬 경우 확실한 보수가 주어진다는 점을 이해시켰다. 벽감 문의 자물쇠를 뜯어냈고, 정교한 기계공이자 화가는 업랜드타워스 경이 주머니에 찔러준 교사의 스케치를 보면서 백작의 지시에 따라 신을 닮은 조각상의 얼굴에 작업을 가하기 시작했다. 화재가 원래의 얼굴을 망가뜨렸듯이 이번에는 정과 망치가 조각상의 얼굴을 망가뜨렸다. 이 잔인한 훼손은 가차 없이 진행되었고, 살아있는 얼굴의 색조까지 입혀짐으로써 더욱더 충격적으로 만들어졌다. 마치 처참한 사고를 당한 뒤에 살아난 생명처럼.

여섯 시간이 지나서 작업공이 가고 났을 때, 업랜드타워스 경은 결과물을 올려다보면서 냉혹한 미소를 짓고 이렇게 말했다.

"사람의 조각상이라면 생전의 모습 그대로를 재현해내야지. 이게 바로 그자의 모습이잖아. 하! 하! 하지만 이렇게 한 건 좋은 목적에서지 심심해서가 아니야."

그는 벽감의 문을 곁쇠(원래 열쇠가 아니지만 자물쇠에 맞는 대용 열쇠—옮긴이)로 잠그고 아내를 데리러 처가로 향했다.

그날 밤 그녀는 잠을 잤지만 그는 깨어있었다. 전해지는 얘기에 따르면, 그녀는 작은 소리로 잠꼬대를 웅얼거렸다고 한다. 그는 그녀의 그 가상 속 다정한 대화가 그가 명목상 대신하고 있을 뿐인 누군가와 나누는 것임을 알고 있었다. 꿈이 끝났을 때 업랜드타워스 백작부인은 잠을 깨고 일어나더니 이

전 밤마다 했던 행동을 되풀이했다. 그녀의 남편은 가만히 누워서 귀 기울였다. 침실 문이 살짝 열렸을 때 벽시계가 2시를 쳤고, 그녀는 복도 끝으로 가더니 여느 때처럼 촛불을 켰다. 침묵이 어찌나 깊던지 그는 침대에 누운 채로 그녀가 부싯돌을 부딪친 후에 불을 붙이기 위해 촛불 심지에 조심스럽게 입김을 부는 소리까지 들을 수 있었다. 그녀는 내실로 들어갔고 그는 벽감 문의 열쇠가 돌아가는 소리를 들었다. 아니면 들은 것 같았다. 다음 순간 그쪽에서 크고 길게 늘어지는 비명이 들려와서 저택의 가장 먼 구석구석까지 울렸다. 비명이 되풀이되는가 싶더니 묵직한 쿵 소리가 들려왔다.

업랜드타워스 경은 침대에서 뛰쳐나갔다. 어두운 복도를 따라 다급히 내실의 문까지 갔을 때, 조금 열려진 문틈으로 촛불의 불빛이 비추는 벽감 바닥에 잠옷 차림으로 쓰러져 있는 젊은 백작부인이 보였다. 그녀의 곁으로 다가가서 기절한 것을 알게 된 그는 더 심각한 상황을 걱정했던 터라 적잖이 안심했다. 그는 사태의 화근이 된 그 가증스러운 석상을 재빨리 차단하고 잠가버렸다. 그가 아내를 안아들자 곧 그녀가 눈을 떴다. 그는 말없이 그녀의 얼굴에 자기 얼굴을 마주대고 침실로 돌아왔다. 그러면서 그녀의 공포를 쫓아버리기 위하여 그녀의 귓가에 대고 너털웃음을 터뜨렸는데, 빈정거림과 일방적인 외사랑 그리고 잔인함이 묘하게 뒤섞인 웃음이었다.

"하하하! 여보, 무서웠어? 이 아기를 어쩌나! 그냥 장난이야, 바바라. 근사한 장난! 하지만 아기는 죽은 사람의 유령을 보겠다고 한밤에 벽장에 가면 못써! 그랬다가는 그 얼굴을 보고 겁에 질리게 될 테니까. 하하하!"

침실로 돌아온 그녀는 어느 정도 정신을 차렸다. 아직 신경 불안이 계속되고 있긴 했지만 그는 그녀에게 더 엄하게 말했다.

"자, 여보. 대답해 봐. 그자를 사랑하지, 그렇지?"

"아니, 아니에요!" 그녀는 휘둥그레진 눈을 남편에게 고정한 채 몸서리를 치고 말했다. "그 사람은 너무 무서워요. 아니, 아니라고요!"

"정말이야?"

"정말이고말고요!" 쇠약해진 정신의 가련한 백작부인이 대답했다. 그래도 그녀의 타고난 회복력이 저절로 빛을 발했다. 다음날 아침 그는 그녀에게 다시 물었다.

"지금 그자를 사랑하고 있지?"

그녀는 그의 시선 아래서 움츠러들었지만 대답하지 않았다.

"젠장, 그건 당신이 아직 사랑하고 있다는 의미로군!" 그가 말했다.

"그건 진실이 아닌 것을 말하지 않겠다는 의미예요. 그리고 내 남편을 화나게 만들고 싶지 않다는 의미고요." 그녀는 기품 있게 대답했다.

"그러면 우리 가서 그자를 한 번 더 볼까?"

그는 말하면서 갑자기 그녀의 팔목을 붙잡더니 그 오싹한 벽감 쪽으로 끌고 갈 것처럼 방향을 틀었다.

"싫어, 싫어요! 싫, 싫다고!" 그녀는 소리쳤다. 그녀가 필사적으로 손목을 비틀어 빼내는 모습은 그 밤의 공포가 겉으로 보기보다 그녀의 섬세한 영혼에 더 큰 영향을 미쳤음을 드러냈다.

"한두 번만 더, 그러면 치료가 되겠지." 그는 혼잣말 했다.

이 무렵에는 백작과 백작부인이 서로 맞지 않는다는 것이 세간에 널리 알려져 있어서 백작이 그 문제와 관련해서 애써 행동을 꾸미거나 하지 않았다. 낮 동안에 백작은 네 명에게 밧줄과 굴림대를 내실로 가져와 그의 지시에 따르라고 했다. 그들이 내실에 도착해 보니, 벽감의 문이 열려 있었고 조각상의 상반신이 천으로 칭칭 감겨있었다. 그는 그것을 침실로 옮기게 했다. 그 다음에 벌어진 일은 얼마간 추측의 문제다. 내가 전해들은 이야기에 따르면, 업랜드타워스 부인이 그날 밤 남편과 침실에 들었을 때, 묵직한 오크 기둥 네 개가 있는 침대 발치에 전에 없던 키가 크고 짙은 옷장 하나가 놓여 있었다. 그러나 그녀는 그 옷장이 왜 거기에 있는지 묻지 않았다.

"약간 변덕이 생겨서 말이야." 그는 주위가 어두워졌을 때 말했다.

"그래요?" 그녀가 말했다.

"작은 성소를 만들고 싶었어. 성소라고 불러도 되는 진 모르겠지만."

"작은 성소?"

"응. 우리 둘 다 찬미할 수 있는 대상을 위해서, 어때? 저

안에 무엇이 들어있는지 보여줄게."

그는 침대 커튼에 가려져 있던 줄 하나를 잡아당겼다. 그러자 옷장 문이 천천히 열렸고, 선반을 모두 제거하여 그 소름 끼치는 형체를 넣을 수 있게 만든 내부 공간이 드러났다. 그것은 내실에서처럼 세워져 있었지만, 양쪽에 하나씩 밝혀져 있는 촛불에 의해 끝이 잘리고 일그러진 형태에 부조 효과가 나타났다. 그녀는 그를 와락 붙잡더니 낮게 비명을 질렀고 침대 시트에 머리를 파묻었다.

"아, 치워요. 제발, 치워요!" 그녀는 애원했다.

"적절한 때가 되면 즉 당신이 날 가장 사랑할 때가 되면 그렇게 할게." 그는 차분하게 말했다. "당신은 아직 그 정도는 아니잖아, 그렇지?"

"몰라요. 아, 업랜드타워스 제발! 견딜 수가 없어요. 아, 날 불쌍히 여기고 저걸 치워줘요!"

"허튼소리 하지 마. 사람은 무엇이든 익숙해지는 법이야. 한 번 더 쳐다봐."

그는 침대 발치의 그 옷장 문을 계속 열어두었고, 양초도 계속 타들어가게 놔두었다. 섬뜩한 전시물에 대한 기이한 매혹이 너무 컸던 나머지 병적인 호기심이 백작부인을 사로잡았다. 그가 거듭 요구하자, 그녀는 침대시트 밖으로 눈을 들었다가 몸서리를 치면서 다시 눈을 가렸지만 또 다시 쳐다보았다. 이러는 내내 그걸 치워달라고, 안 그러면 미쳐버릴 것 같다고 남편에게 사정했다. 그러나 그는 아직은 그럴 생각이 없었고,

옷장은 새벽까지 닫히지 않았다.

그 장면은 다음날 밤에도 되풀이되었다. 잔인한 교정을 행함에 있어 단호했던 그는 그 치료법을 계속 밀고나갔다. 남편이 가하는 효과적인 고문 아래서 이 가여운 여인의 신경이 고통으로 들쑤셔지고 태만했던 마음이 정절을 되찾을 때까지.

사흘째 밤, 그 장면은 여느 때처럼 시작되었다. 그녀는 누운 채 크고 횅한 눈으로 그 역겨운 매혹을 쳐다보다가 느닷없이 기괴한 웃음을 터뜨렸다. 그녀는 그 조각상을 노려보면서 웃고 또 웃어댔고, 급기야 웃음으로 자지러졌다. 이내 정적이 흘렀다. 그는 그녀가 인사불성이 된 것을 보았다. 기절했나보다 생각했지만 곧 사태가 더 나쁘다는 것을 깨달았다. 그녀는 뇌전증 발작을 일으켰다. 그는 화들짝 놀랐다. 명석한 사람들 상당수가 그렇듯이 그 자신의 관심사에만 지나치게 집착했다는 낭패감이 들었다. 간직한 열망보다는 이기적인 만족이긴 해도 그에게 가능했던 사랑이 그 순간 생명력을 얻었다. 그는 도르래를 움직여 옷장을 닫고서 그녀를 품에 안아 조심스럽게 창가로 갔다. 그리고 할 수 있는 모든 방법을 동원해 그녀의 의식을 회복하려고 했다

배자부인이 정신을 차리기까지 힌침이 길렀나. 그녀가 정신을 차렸을 때 그녀의 감정에 커다란 변화가 생긴 것 같았다. 그녀는 두 팔로 그를 껴안더니 공포로 숨을 몰아쉬며 비굴하게 그에게 연거푸 키스했다. 그러고는 마침내 울음을 터뜨렸다. 그녀가 구슬피 운 것은 이때가 처음이었다.

"저걸 치워줘요. 제발, 여보!" 그녀는 애처로이 애원했다.

"당신이 날 사랑한다면."

"사랑해요. 아, 사랑해요!"

"그리고 그자와 그자의 기억을 증오하는 거지?"

"그럼요. 그럼요!"

"뼈저리게?"

"그 사람 떠올리는 건 견딜 수가 없어요!" 불쌍한 백작부인이 비굴하게 울부짖었다. "그 사람과의 추억은 내게 치욕이에요. 내가 어쩌다가 그렇게 타락할 수 있었는지! 업랜드타워스, 다시는 나쁜 행동 하지 않을 게요. 그러니까 당신도 저 혐오스러운 조각상을 다신 내 눈앞에 두지 않을 거죠?"

그는 안심하고 약속해도 괜찮겠다는 느낌이 들었다. "그럴게." 그는 말했다.

"그렇다면 난 당신을 사랑하겠어요." 그녀는 그 징벌이 다시 적용될까봐 두려워하듯이 간절히 말했다. "그리고 결혼 서약에 어긋나는 그 어떤 생각도 절대, 절대 꿈도 꾸지 않을 게요."

여기서 기이한 대목은, 공포에 의해서 그녀로부터 쥐어짠 이 거짓 사랑이 단순한 실연(實演)의 습관을 통해서 상당부분 진실성을 띠었다는 점이다. 백작을 향한 애정의 비굴함은 죽은 전남편의 기억에 대한 실제적인 반감과 동시적으로 확연히 눈에 띄었다. 이런 애정의 분위기는 그 조각상이 제거됐을 때 더 강하게 지속되었다. 그녀의 내부에 시간이 지나면서 강화된 영원한 혐오감이 작동했다. 공포가 어떻게 그 정도로 개인

특이성의 변화에 영향을 미칠 수 있는지는 학식 있는 의사들만이 알 수 있을 터다. 그러나 나는 이런 반동적인 본능의 사례가 완전히 새로운 것은 아니라고 생각한다.

결론적으로 이 치유법은 지나치게 오래 지속되는 바람에 그 자체가 새로운 질병이 되었다. 그녀는 그에게 극도로 집착해서 한순간도 그의 시야에서 벗어나려고 하지 않았다. 그녀는 불쑥 들어오는 그를 볼 때마다 화들짝 놀라면서도 그의 방과 독립된 자신만의 방을 가지지 않았다. 그녀의 시선은 거의 언제나 그에게 고정되어 있었다. 그가 외출을 하면 그녀도 같이 가고 싶어 했다. 그가 다른 여자한테 조금만 정중하게 굴어도 그녀는 미칠 듯이 질투했다. 마침내 그녀의 일편단심은 그에게 부담이 되었고, 그의 시간을 빼앗았으며 그의 자유를 제한했고 그의 입에서 악담을 쏟아내게 만들었다. 그가 그녀에게 모진 말을 하더라도 그녀는 자신만의 정신세계로 도피하는 방식으로 복수하지 않았다. 계략을 통해서 그녀에게 주어진 사랑, 상대방을 향한 그 모든 사랑은 이제 차갑고 검은 숯덩이가 되어 있었다.

이때부터 겁먹고 쇠약해진 이 여인의 삶—부모의 저열한 야망과 시대의 관습이 없었다면 훨씬 더 높은 목표를 향해 발전했을 이 실존—은 빙퉁그러지고 잔인한 남자를 향한 비굴한 색정의 일부가 되었다. 자잘하고 개인적인 일들—여섯, 여덟, 아홉, 열 가지 사건들—이 그녀에게 연이어 벌어졌다. 간단히 말해서, 그녀는 이후 8년 동안 11명의 자식을 낳았다. 그러나 그중에서 절반은 조산이거나 며칠 만에 죽었다. 딱 한 명의 딸아이가 어른으로 성장했다. 이 아이는 나중에 다들 알만한, 달메인 경 작위를 받은 친애하는 벨톤리 씨의 아내가 되었다.

생존한 아들과 후계자는 없었다. 마침내 몸과 마음 모두 기진맥진한 업랜드타워스 부인은 남편과 함께 쇠진한 기력에 좋은 쾌적한 기후의 효험을 찾아서 외국으로 떠났다. 그러나 아무 것도 그녀의 건강에 도움이 되지 않았고, 이탈리아에 도착한 지 두세 달 만에 그녀는 피렌체에서 숨을 거두었다.

업랜드타워스 백작은 예상과 달리 재혼하지 않았다. 그의 마음속에 존재하는 애정—기이하고 모질고 잔인한 애정—은 다른 대상으로 옮겨갈 수 없는 것 같았다. 알려진 대로 백작이 사망한 뒤 그의 조카가 백작 작위를 물려받았다. 그 6대 백작을 위하여 놀링우드 홀을 증축하는 동안, 새 부지를 조성하는 과정에서 부서진 대리석상 조각들이 발굴됐다는 사실은 아마도 널리 알려져 있진 않은 것 같다. 이 조각들은 여러 골동품상에게 보내졌는데, 이들은 파편들로만 봐선 훼손된 로마의 목신 조각상 아니면 죽음을 비유한 형상 같다고 주장했다. 오로지 주민 한두 명만이 그 파편들로 구성된 원본 조각상이 누구인지 짐작하는 정도였다.

덧붙여야할 것이 있는데, 백작부인이 죽고 얼마 지나지 않아서 멜체스터 주임사제가 행한 훌륭한 설교는 실명은 거론하지 않았지만 의심의 여지없이 지금까지 말한 사건들을 주제로 한 것이다. 주임사제는 단순히 잘생긴 외모를 향한 관능적인 사랑의 탐닉이 얼마나 우둔한가를 누누이 강조했다. 그리고 사랑의 이성적이고 고결한 확장은 내재적인 가치에 토대를 둔다고 설파했다. 내가 지금까지 말한 다정하지만 다소 천박한 여인의 사례에서 젊은 윌로우스의 외모를 향한 깊은 끌림이 그녀를 그와 결혼하게 만든 결정적인 감정이었다. 여기서 더욱 개탄스러운 점은 전해지는 모든 구전에 따르면 그의 아름다운 외모가 그의 장점 중에서 가장 작은 부분이었다는 것이다. 모든 얘기들을 종합하여 추측하건대 그는 올곧은 성품과 뛰어난 지성 그리고 전도유망한 미래를 지닌 남자였음에 틀림이 없다.

* * *

사람들은 이야기를 한 늙은 의사에게 고마움을 표했다. 주임사제는 자신이 할 수 있는 그 어떤 설교보다 훨씬 더 인상적이었다고 공언했다. 주로 책벌레로 통하는 이 모임의 한 나이든 회원이 말하길, 여인의 타고난 정절 본능은 남자의 죽음 후에도 종종 참으로 놀라운 방식으로 그녀의 마음을 남자에게 돌려보낸다고 했다. 둘 사이의 원래 감정을 여자 앞에 강제로 드러내고 남자의 본래 모습을 여자의 눈에 보이면 그의 열등함이 사회적이든 다른 그 무엇이든 간에 싱겁없이 그렇게 된다는 것이다. 이어서 재현물에서 실재를, 꿈에서 현실을 보는 여성의 능력에 관한 전반적인 대화가 이어졌다. 남자들은 이 능력을 (이 감성적인 회원에 따르면) 따라잡을 수 없다.

주임사제는 의사가 말한 사례가 내재적이고 진실한 애정이라기보다는 흥분으로 되살아난 열정의 한 예라고 생각했다. 이 이야기를 듣고 보니 그가 젊은 시절에 듣곤 하던 한 가지 일화를 청중 앞에 다시 내놓고 싶게 만든다고 했다. 내재적이고 진실하며 더 나은 감정의 예가 될 것인데, 그의 여주인공 또한 자신보다 신분이 낮은 남자와 결혼한 여인이라고 했다. 다만 자신의 이야기는 의사의 이야기에 비해 많이 변변찮을 것이라 걱정스럽다고 했다. 사람들은 어서 해보라고 청했고, 주임사제는 얘기를 시작했다.

이 작품선에 대해

인간의 심리와 삶의 어두운 면을 유려하게 파고드는 토마스 하디의 대표적인 고딕 단편들을 수록합니다. 중편 분량에 가까운 단편 둘, 이와는 반대로 아주 짧은 단편 하나 이렇게 세 편으로 구성됩니다.

「시든 팔The Withered Arm」은 토마스 하디의 숙명론적 세계관이 반영된 작품입니다. 잉글랜드 남서부 웨식스의 도싯을 모델로 하디가 창조했다는 가상공간들이 배경인데요.

홈스토크는 낙농업을 위주로 하는 마을. 소젖 짜는 일을 업으로 하는 마을사람들 중에서 혼자 12살짜리 아들을 키우고 있는 로다 브룩은 암암리에 오컬트와 관련된 마녀로 불리는 여자인데요. 이런 황당한 소문이 돌게 된 것은 전남편 로지와 헤어지면서부터인데, 전남편은 어린 새신부를 얻어 재혼합니다. 로다는 한 번도 본적 없는 이 어린신부, 거트루드에 대해 자신의 자리를 빼앗은 여자라고 적의를 품고 집착합니다. 그런데 뜻밖에 로다의 꿈에 거트루드가 나타나고 이후부터 거트루드의 왼팔이 흉하게 변해갑니다.

로다는 그동안 무시해왔던 터무니없는 소문처럼 혹시 자신이 모종의 주술적인 힘을 지니고 있는 건 아닐까, 그래서 본의 아니게(?) 그 힘으로 거트루드의 팔을 망친 건 아닐까 죄책감을 느끼는데요. 알고 보니 거트루드가 선하고 친절한 여자라 더더욱 로다의 자책은 더해갑니다. 게다가 처음엔 미신이나 주술을 믿지 않았던 거트루드가 어느 순간부터 정체불명의 약제와 주술적 방법에 빠져들면서 상황은 점점 복잡해져갑니다. 당대 민간에 퍼져있던 미신과 오컬트적 요소에 하디 특유의 반전을 통해 공포와 긴장을 일으키는 흥미로운 작품입니다.

「미신적인 남자 이야기^{Superstitious Man's Story}」는 유별난 구석이 있는 조용한 농부 윌리엄 프리벳의 기묘한 죽음을 다룹니다. 미신적인 남자가 들려주는 이야기답게 초반부터 미신과 초자연적인 전조들이 등장하는데요. 일례로 교회지기가 갑자기 종이 무거워졌다고 느낀다거나 세례자 요한 축일 전야^(6월 23일)와 이날에 얽힌 죽음의 구전들은 누군가, 즉 윌리엄이 죽게 될 것을 예고합니다.

맡은 세탁일 때문에 밤늦게까지 다림질을 하던 윌리엄의 아내 베티는 남편이 그답게 조용히 외출하는 모습을 보고 별 일 아니라는 듯이 하던 일을 마저 하는데 분명히 외출했던 남편이 뜻밖에도 방에서 곤히 잠들어있습니다. 이 이상한 상황이

미신적으로 해명되기도 하고 더 확장하기도 하면서 전개되다가 결국 윌리엄의 죽음으로 끝이 납니다. 하디는 죽음을 예고하는 초자연적인 전조에 별다른 저항 없이 최후를 맞는 윌리엄을 덤덤하게 보여줍니다. 하디는 「시든 팔」을 비롯한 많은 작품에서처럼 잉글랜드 시골지역의 미신과 경신 그리고 도시의 이성과 물질 그 어느 한쪽을 지지하거나 반대하지 않고 가치중립적인 시각을 유지하는 것 같습니다.

「그리브가의 바바라Barbara of the House of Grebe」는 단편으로 발표되었다가 나중에 작품집 『귀부인들A Group of Noble Dames』에 포함됐습니다. 언뜻 제목만 봐서는 귀부인들의 모임 같지만 실상은 골동품 '덕후' 아저씨들의 모임인데요. 하디의 많은 작품들처럼 잉글랜드 남서부 웨식스가 배경입니다. 그리고 역시나 이 웨식스에는 실제와 허구 지명이 혼용되면서 하디 특유의 가상공간들이 만들어집니다.

웨식스 지역의 골동품 애호가들이 동호회 모임을 가졌다가 악천후로 인해 박물관에서 옴짝달싹 못하는 상황을 맞는데요. 시간을 때울 겸 회원들이 돌아가면서 한명씩 얘기를 들려주기로 하는데 그 주제가 바로 "귀부인들"에 관한 것입니다. 자연스레 액자 소설이 형태를 띠는 10편의 이야기 중에서 「그리브가의 바바라」는 두 번째로, 첫 번째 이야기를 들려준 역사가에 이어서 이번에는 늙은 의사가 이야기꾼으로 나섭니다.

이 단편은 일그러진 집착과 병적인 감수성의 앙상블이 빚어내는 시쳇말로 대환장 로맨스입니다. 자기보다 신분이 낮은 남자와 결혼한 '그리브' 남작가문의 바바라. 이런 바바라를 사랑보다는 쟁취와 전리품 개념으로 접근하는 냉혈한 업랜드타워스 백작. 열일곱 바바라의 마음을 훔친 별 볼일 없는 집안의 윌로우스는 그야말로 "월드와이드 핸섬 가이". 그냥, 완벽하게 잘생겼습니다. 즉흥적으로 결혼한 (그러나 얼굴이 완전히 망가지는 화재 사고를 당한 후 행적이 묘연한 윌로우스로 인해 과부 신세가 된) 바바라를 끝끝내 아내로 맞이하는 업랜드타워스 백작, 그는 이른 나이부터 권력의 단맛을 본 명문가의 권세가인데요. 그냥, 어딜 가나 사람들이 알아서 굽실거립니다.

사랑하는 남자 윌로우스는 행방불명에 이어 사망 소식이 전해지고, 사랑하지 않는 남자 업랜드타워스와 재혼한 바바라. 이탈리아 피사의 한 조각가가 만들어서 보관 중이었다는 전남편 윌로우스의 조각상이 우여곡절 끝에 한참 뒤에야 바바라에게 전달됩니다. 신을 빚어낸 듯한 (화재 사고를 당하기 전에 만든) 이 등신상 앞에서 사랑과 회한의 황홀경에 빠지는 바바라. 이런 아내를 뜨거운 질투와 차가운 분노 속에서 몰래 지켜보는 업랜드타워스 백작. 이제 이야기의 전개 양상은 T. S. 엘리어트가 이 작품에 대해 "오로지 병적인 감성을 만족시키기 위해서 쓴" 것 같다고 한 평이 과장이 아님을 입증합니다.

2024년 7월
미스터고딕 정진영

토마스 하디 고딕 소설 작품선

고딕 문학 총서 013

초판 발행 | 2024년 7월 19일

지은이 | 토마스 하디
옮긴이 | 미스터고딕 정진영
펴낸이 | 정진영
펴낸곳 | 아라한

출판사등록 | 2010년 7월 29일 제396—2010—000096호

주 소 | 경기도 고양시 일산동구 중산동 25
전 화 | 070—7136—7477
팩 스 | 0508—917—7477
이메일 | arahanbook@naver.com

ⓒ 미스터고딕 정진영, 2024

ISBN | 979 11 94202 01 1   03840